EL ETERNO MARIDO

COLECCIÓN CLÁSICOS UNIVERSALES

FIODOR DOSTOIEVSKI

EL ETERNO MARIDO

PRÓLOGO DE
IGNACIO MILLÁN

OCEANO

COLECCIÓN CLÁSICOS UNIVERSALES
Dirección y selección de esta colección: Àlex Broch
Diseño cubiertas: Ferran Cartes / Montse Plass

EL ETERNO MARIDO
Fiodor Dostoievski

Traducción: Vera Macarov

© MM, OCEANO GRUPO EDITORIAL, S.A.
Milanesat, 21-23
EDIFICIO OCEANO
08017 Barcelona (España)
Teléfono: 93 280 20 20*
Fax: 93 280 56 00
http://www.oceano.com
e-mail: librerias@oceano.com

Primera edición: abril, 2000
ISBN: 84-494-1649-3
Impreso en España - Printed in Spain
Depósito legal: B-13628-XLIII
10243040

PRÓLOGO

Fiodor Mikhailovich Dostoievski nació el 30 de octubre de 1821 en Moscú. Fue el segundo de siete hermanos, cuatro varones y tres mujeres. Su padre, el viejo Dostoievski, coronel médico, veterano de la guerra contra Napoleón en 1812, era director del Hospital de Pobres de Moscú, en cuyo recinto nació Fiodor, igual que sus hermanos. En los corredores de la vieja casona estilo imperio y en los jardines que la rodeaban, con escapadas prohibidas a los prados del hospital, se deslizaron los primeros años de la infancia de Fiodor, siempre vigilada por los ojos alertas del viejo médico, cuya vida misma fue una escuela de ruda y cruel disciplina adquirida en su pasado militar, que habría de manifestarse con innecesaria energía para con sus propios hijos.

El doctor Dostoievski fue un atormentado fugitivo del hogar de sus propios padres, y un huérfano del amor familiar. Muy joven, a los quince años, huyó de la casa paterna, repeliendo los deseos de su padre Andreyev, para que siguiera la vida religiosa ortodoxa, a ejemplo de sus antepasados. A costa de una prolongada lucha, pudo trasladarse a Moscú, en cuya Universidad estudió medicina, entrando a servir en el Ejército.

¿Cómo pudo el doctor Dostoievski olvidar, más tarde, el devoto amor de su madre, que secretamente le ayudó a huir y a vivir, hasta terminar sus estudios? La escapatoria de su hogar fue definitiva, pues los acontecimientos históricos subsiguientes a su salida del hogar en Ucrania, principalmente la guerra napoleónica, levantaron una muralla de silencio y olvido entre el prófugo y sus viejos progenitores, cuya huella hubo de perderse para siempre. Muchos años después, un súbito deseo de encontrar a sus padres agitó el corazón del doctor Dostoievski con motivo de haber tenido que registrar a sus hijos en el libro de la nobleza, en Moscú. Rehizo así toda la genealogía de la familia Dostoievski y, con asombro, encontró que había habido nobles guerreros y dignatarios eclesiásticos, católicos y ortodoxos, entre sus remotos antepasados. Entonces indagó el paradero de sus viejos padres, utilizando los periódicos; pero nadie respondió a su llamamiento. El silencio amargó su corazón mucho más de lo que ya estaba y su rigidez fue todavía más severa para con sus hijos. Este hecho, aparentemente sin importancia para el desarrollo de éstos, ignorantes del abismo de olvido y silencio echado por su padre entre su generación y la de sus abuelos paternos, tuvo, sin embargo, graves repercusiones psicológicas en el viejo, y, consecuentemente, en el desarrollo de la personalidad de sus propios hijos, particularmente la de Fiodor.

Amante del estudio y poseedor de una cultura superior a la común, el viejo Dostoievski procuró dar a sus hijos una educación esmerada, en cierto modo refinada, tendiendo a buscarles mejores oportunidades y proporcionarles una posición social de mayor prominencia. La madre, María Fiodorovna Netchaieff, moscovita, hija de comerciantes acomodados, era hacendosa, ahorrativa, tierna y de esmerada educación. Apoyó gustosa la tarea del esposo de buscar alguna independencia económica, aunque para lograrlo tuvo ella que sacrificarse hasta el punto de sufrir calladamente el tiránico trato que le daba el viejo médico. Fue así como pudieron colocar a sus dos hijos mayores, Mijaíl y Fiodor, en un colegio para pensionados, cuyo propietario y director era francés. Allí los niños aprendieron pronto el idioma galo como la propia lengua materna. En casa, su padre les enseñaba latín por las noches, cosa que hacía con riguroso método. Sin embargo, esta severa disciplina del viejo médico, aun sin proponérselo, iniciaría a sus dos hijos mayores en el cultivo del saber universal, lo que habría de tener considerable importancia en la futura personalidad y obra de Fiodor.

Cuando más tarde el viejo Dostoievski pudo adquirir una propiedad campestre cerca de Moscú, los muchachos mayores habían terminado su primera enseñanza y se les había cambiado a un colegio de estudios preparatorios, el más importante de Moscú, y al que los profesionales y gente distinguida enviaban sus hijos. El viejo Tchermack, propietario y director del colegio, trataba a sus educandos en forma patriarcal, los sentaba a su mesa a la hora de comer, junto a sus propios hijos, departía con ellos sobre los temas del día de clase y, además, trataba de despertar en ellos el interés por la literatura clásica, nacional y universal. ¡Cuán grata y amable era esa hora de la comida para Fiodor, en la que no sólo se le permitía hablar, sino discutir, participar en algo vivo y atrayente!... No dejaba de comparar esa grata experiencia con el silencio impuesto en su hogar.

Entre los dos hermanos había nacido un afecto profundo, una sólida, íntima y calurosa amistad. Fiodor tenía trece años ya, la magia de su adolescencia comenzaba a llenarle la imaginación de extraños ensueños. Mijaíl, un año mayor, más fuerte y decidido, hacía ya versos, inspirados en Púshkin, en Lérmontov, y en otros grandes poetas.

Los domingos los pasaban en su hogar, y aunque era una fiesta acompañar a los padres, era también un motivo de tedio: tenían que enseñar las primeras letras a sus hermanitos menores, y por ello salían muy poco a la calle y no tenían tiempo para divertirse. Además, el padre, en su rebeldía ancestral contra lo ruso, se oponía a que sus hijos se mezclaran con la plebe, negándoles la expansión y libertad que ellos ansiaban.

Pero en cambio, cuando llegaban las vacaciones, era como entrar en un mundo encantado. Salían al campo, iban en troikas de tres caballos a Daraievo, la propiedad rusa del padre, en la que había mujiks con quienes hablar, y montes que explorar. Su corazón habría de sufrir, sin embargo, la primera amargura al chocar con la áspera realidad cuando, poco tiempo después, se incendiaba la residencia rural, escenario de sus alegrías infantiles.

Era el último año que pasarían en la escuela preparatoria del viejo Tchermack, e iba a comenzar para ellos un mundo de creación literaria mucho más avanzado. Gógol, Púshkin y Lérmontov de nuevo... pero ahora parecía que una nueva luz iluminaba su poesía. Discusiones, planes, aspiraciones para un futuro inmediato, soñando despiertos con los ojos fijos en el azul de los cielos, por encima de las altas torres de las iglesias. Poemas, ensayos históricos, comentarios a los pasajes bíblicos, lectura y crítica de las novelas históricas de Lachéchnikov, y, sobre todo, su apasionado estudio de la historia de Rusia y de la obra de Karamzin. A Fiodor, que encontraba tan honda y extraña satisfacción en estudiar la Historia, le parecía raro que a su padre no le interesara.

Entre visitas dominicales, fiestas, clases, recitaciones, discusiones literarias, y otros entretenimientos intelectuales, el tiempo iba deslizándose. El conocimiento del francés y el alemán facilitaba los estudios más consistentes y profundos. Resultaba simple y agradable leer a Racine, Corneille, Balzac, y Schiller, Goethe y Heine. Un día, Mijaíl le propuso a Fiodor traducir a Goethe y a Schiller. Entre todas sus lecturas, sin embargo, ambos hermanos habían desarrollado ya una decidida pasión y devoción por Púshkin, y ambos recitaban frecuentemente sus poemas. Llevados del ensueño poético, se sentían conquistadores de mundos, salvadores de Rusia y heraldos de su pueblo. Tenían pocos amigos y los condiscípulos de la escuela del viejo Tchermack permanecían, excepto uno o dos muy señalados, como relegados al papel de comparsas, en el escenario en que los dos hermanos eran los primeros actores.

El destino tenía señaladas las etapas trágicas de su pubertad retardada, y pronto habría de sonar la campana de la tragedia en sus corazones. Los días de gozo paradisíaco, de exploración inicial del mundo y sus moradores, en Daraievo, los años de su infancia y adolescencia habrían de pasar muy pronto. Una serie de acontecimientos iba a sucederse rápidamente en el desarrollo de sus primeros años juveniles. En enero de 1837, Púshkin cayó sacrificado en un duelo, y aquel acontecimiento impresionó tan profundamente a Fiodor que, por algún tiempo, quiso llevar luto por la muerte del poeta nacional.

Pero, poco después, otro drama mucho más terrible aún lo sacó del ensueño para llevarlo al mundo de una realidad brutal, tanto, que fue casi una metamorfosis en la que lo irracional vino a ocupar el sitio de lo positivo y real. Su madre, la dulce y tierna María Fedorovna, consumida por las privaciones, las penas, la fatiga y las torturas infligidas por el viejo Dostoievski, falleció en febrero de 1837.

Fiodor y Mijaíl, cumpliendo el deseo del padre entristecido, hicieron un epitafio, inspirado en un poema de Karamzin, para la tumba de su madre. A poco de esta trágica experiencia, Fiodor cayó enfermo gravemente. Fue necesario llevarlo a otro clima. Al regreso, su padre, todavía afligido por el intenso dolor de su viudez, tuvo sin embargo lucidez y resolución para mirar de frente el futuro de sus hijos.

Ese mismo año, Mijaíl y Fiodor fueron llevados por su padre a San Petersburgo, a donde llegaron después de un prolongado viaje. Allí ingresaron en la Escuela de Ingenieros. Las *divinas matemáticas* y sus teoremas alternaron entonces con las creaciones poéticas de Mijaíl, y con la fecundidad imaginativa de Fiodor, que ya comenzaba a escribir cuentos de capa y espada.

Apareció entonces un mundo nuevo para ellos... pero a poco del ingreso de los dos hermanos en la escuela, una nueva amargura se abatió sobre Fiodor: en los exámenes físicos de admisión, su amado camarada, su entrañable hermano Mijaíl, no dio la talla y fue rechazado. Ya no podían estudiar juntos en la antigua Fortaleza de Pedro y Pablo, donde estaba la Escuela de Ingenieros.

La escuela tenía una dependencia campestre en Reval, cerca de San Petersburgo. Allí fue llevado Mijaíl, tras una conmovedora despedida, con lluvia de lágrimas y mutuas promesas de escribirse diariamente y continuar sus ensueños literarios. Pero todo ello habría de sujetarse, muy pronto, al rumbo indescifrable de sus destinos.

El viejo Dostoievski regresó al hogar. Imposible le fue acostumbrarse a su viudez. Después de casar a su hija mayor, Bárbara, con un acomodado moscovita, se trasladó con sus dos hijas pequeñas a Daraievo, dejando a sus dos hijos varones más pequeños, en la escuela de Tchermack. En Daraievo, buscó sosiego en el alcoholismo, empujado por la angustia. Tuvo una amante, y se vio obligado a renunciar a su puesto del hospital. La tierra de Daraievo era pobre y los mujiks tenían que trabajar a fuerza de látigo.

La tacañería, la desesperación, la embriaguez y el completo abandono de su voluntad y de su fe, fueron de la vida del viejo Dostoievski, un largo vía crucis, durante el cual, y cuando ya los ausentes en San Petersburgo se adaptaban a una nueva vida, la paz, la unidad y la cohesión de la familia habrían de desintegrarse y agotarse. El padre consumía casi la mayor parte de los ingresos, y los hijos quedaron atenidos a la ayuda, muy restringida, de un viejo amigo militar a quien los dejó encomendados.

Se inició así, para Fiodor, el aprendizaje más trágico y solemne, pero también el más fecundo y memorable de su vida: el aprendizaje de la soledad. «Mi vida aquí es repugnante, pues sólo palpita en este medio aquello que es vulgar», le escribe a su hermano Mijaíl, refiriéndose al mundo estudiantil de la Escuela de Ingenieros. «Estoy asombrado de la tontería de sus juegos, de sus reflexiones y observaciones. No respetan más que el éxito. Todo lo que es justo, pero que parece humillado y perseguido, provoca sus burlas crueles. A los diecisiete años, estos *señoritos* hablan de situaciones lucrativas y son viciosos hasta la monstruosidad.»

En esas palabras, comenzaba a delinear sus primeras reacciones al ambiente, iniciando así su peregrinación hacia el reino de sí mismo, de su yo, de su pasado y de su soledad. A los dieciséis años, Fiodor se refugiaba ya en su pasado, en sus lecturas, y tendiendo un puente entre ambas, empezaba a levantar el monumento de su creación literaria, extrayendo de aquellos dos veneros la realidad del mundo de su ensueño, creador y mágico.

«Pasaba los recreos sentado en el alféizar de una ventana, mirando correr el río, contemplando los árboles del parque soñando y leyendo; se sentía atraído por la soledad», dice su hija. El mundo le parecía hostil y siniestro, cargado de crímenes. Los petulantes *señoritos*, hijos de coroneles, que llenaban la Escuela de Ingenieros, le producen una repugnancia tal, que al ahondarse en su entraña psíquica, se transforma en fermento, en algo así como el abono que más tarde habría de fecundar los más bellos y jugosos frutos de su ingenio de escritor.

Pensar que su amor por la soledad, la meditación y el recuerdo de su pasado —¡tan joven!— fue meramente una actitud de escape y de consolación, de huida y miedo al mundo, es un gran error. Quizás en este período, Fiodor Dostoievski tuvo intentos de abandono y renunciación; pero pudo imponer su voluntad sobre su dolor y sufrimiento. Su genio transformó toda aquella ebullición emocional en el sólido basamento de su experiencia y su conocimiento del alma del hombre.

Es precisamente en esos años cuando Fiodor elabora su interpretación del mundo, y nutre la mística, la técnica y la disciplina literaria que había de utilizar en el futuro. Mezclando los estudios de balística, topografía, matemáticas, y de otras disciplinas científicas, con los de la poesía, la literatura contemporánea y clásica, nacional y universal, Fiodor logra sembrar las más fértiles semillas de su conocimiento.

Lo mantiene en guardia la contemplación de ese libro abierto que es el corazón sangrante de la humanidad desposeída y sufriente, miserable escenario de la guerra eterna entre el bien y el mal. Ese drama es su escuela, su incubadora, su santuario, su ágora. El drama del mundo vivo es eterno, y palpita en las páginas que el hombre ha escrito, primero en la piedra, después en los papiros, y más tarde en las tábulas griegas, para multiplicarse, posteriormente, en las prensas de la edad contemporánea. Nada muere sino para fructificar. Así se va agigantando en Dostoievski un deseo de cuyo origen no guarda recuerdo: habrá de ser escritor, un gran escritor.

Después de la trágica muerte del viejo Dostoievski, que fue asesinado por los campesinos de su propiedad rural, Fiodor quedó sin otra compañía espiritual que la de su hermano Mijaíl, sintiéndose extrañamente liberado de un conflicto psicológico cuya esencia y motivos habría de conocer más tarde. Por otra parte, su hermano Mijaíl, que había cumplido veinte años apenas, pensaba ya muy poco en poesía, pero mucho en el amor, al extremo de que no tardó en casarse. Fiodor entraba en una nueva etapa de lucha, y se vio perseguido por las deudas.

Cuando recibió, al fin, el diploma de ingeniero, en 1843, entró a servir como empleado en una oficina del Estado. Veía frente a sí un nuevo peregrinaje. Detestaba la burocracia que le parecía «un muro impenetrable, de la más viva piedra» que se oponía a sus anhelos de escritor. «La materia no es para mí un sistema interpretativo del mundo», afirmaba. El materialismo era para Dostoievski el muro que se opone ante la inteligencia de lo irracional, en trance de magia, que es la vida del espíritu, y en la que puede encontrarse todo o nada. Pero no cree en la nada aun cuando su angustia lo lleva, a cada instante, a pensar en que esa entidad negativa puede ser y realmente es, para él, la meta final de la materia. «Hay algo más, dice, que mantiene al hombre al mismo tiempo vivo y muerto, despierto y dormido, y en estado de gracia y de pecado perpetuos.»

Esa dialéctica constituye su más angustioso drama y busca con ansia una síntesis integral para refugiarse en ella, para expresarse en una forma concreta de pensamiento y de acción, que lo lleve a las cumbres con las que sueña desde hace tanto tiempo. Pero se mantiene bajo el imperio de un impulso que es ciego y fatal: estudia, trabaja incansablemente, y aunque el ensueño es un estado de alba perpetua para su corazón, no permite que las deprimentes orgías de la contemplación lo ahoguen y paralicen.

Dostoievski sueña, pero trabaja y crea. Y también goza del ocio, pero a conciencia. Y goza de ese extraño placer que transforma al hombre de ángel en demonio, y viceversa. Juega al billar y al dominó, y pierde siempre todo lo que gana con trabajos penosos, quedándose siempre de ángel despreciado por el demonio.

De pronto, surge el evento del año en los círculos intelectuales: Balzac, el gran Balzac, arriba al antiguo San Petersburgo. ¿Cómo no alegrarse de la visita, si Balzac es para Dostoievski el maestro preferido de la novela contemporánea? Su espíritu práctico le impulsa a encontrar un editor que publique la traducción que ha hecho de *Eugenia Grandet*, aguijoneado por su penuria.

Mientras tanto, trabaja, escribe, traduce del francés y del alemán folletines, novelas picarescas y otras obras, en versiones abreviadas, por economía. Ese ambiente lo puso en contacto con escritores y aspirantes a poetas, que esperaban escribir pronto la gran novela nacional rusa. En 1844, hastiado de la vida burocrática, renunció a su empleo, decidido «a ganarse la vida como escritor». Se encuentra con un viejo amigo de la Escuela de Ingenieros, Gregorovich, poeta y escritor también, y juntos alquilan una habitación, compartiendo sus recíprocas penurias.

Meses antes, Dostoievski había comenzado su primer intento serio: una novela de las dimensiones de *Eugenia Grandet*. Al concebir esta obra, Fiodor la trazó con una sabiduría constructiva genial. Se propuso hacerla perfecta, como si fuese a edificar para la eternidad. Cada vez que terminaba el trabajo, lo guardaba para revisarlo de nuevo.

En marzo de 1845 le dice a Mijaíl: «Estoy satisfecho con mi novela, aunque todavía tiene defectos importantes.» Mijaíl criticó el anhelo de perfección, y Fiodor le contestó: «Jamás escribiré por encargo. Escribir a la orden destruye y aniquila todo. Quiero que mi trabajo sea sobrio y bello. El destino de toda *primera obra* es el de ser estudiada y revisada hasta la perfección. Púshkin y Gógol pulieron sus cuentos durante más de dos años, antes de darlos a luz».

Tal fue la trayectoria de su primera obra. Todo el misterio de sus ensueños, todo el dolor de sus múltiples muertes y resurrecciones, todo el sabor y la fragancia de sus lecturas, todo ello había sido vertido en su primera obra: *Pobres gentes.*

Su amigo Gregorovich era un asiduo visitante de los salones literarios. Sugirió que la obra fuese leída por Nekrasov, que planeaba la edición de una revista literaria. Le llevaría la novela, y así lo hizo una noche. Tras vencer la resistencia de Nekrasov, éste accedió a oír unos cuantos capítulos. Pasaron diez, veinte hojas, y las primeras y últimas horas de la noche. Al amanecer, Nekrasov sugirió que fuesen a ver inmediatamente al autor. «Está dormido», dijo Gregorovich. «Mucho mejor», repuso Nekrasov... Y se fueron a casa de Dostoievski.

Esa noche, Fiodor no se había acostado aún, y desde el balcón contemplaba la blanca noche de San Petersburgo. Al día siguiente, Dostoievski amaneció convertido en genio. Pero desde ese momento comenzó para él otra forma de aprendizaje cruel y atormentador.

Nekrasov llevó el manuscrito a Belinski, un joven genio, árbitro de la crítica literaria del momento. El cielo literario de San Petersburgo estaba lleno de primeras estrellas, entre las que descollaban Gógol y Turguéniev, y la llegada de Dostoievski en ese momento, podía ser y realmente fue, un acontecimiento sideral de grandes proporciones.

Poco después de que Belinski calificó a Dostoievski como «el segundo Gógol» los salones literarios se disputaron a Fiodor. ¿En virtud de qué arte se había convertido este joven en el centro de atracción de todas las miradas?

Y vino sobre Fiodor una lección que sólo pudo aprender cuando se diluyó en su propia sangre, la lección que todo escritor novel tiene que vivir por sí mismo para fructificarla. Fiodor creyó sinceramente en aquellas manifestaciones espontáneas, y sinceras también, pero apresuradas y prematuras, que lo declaraban genio.

«Te ha sido revelada la verdad del arte; aprende a estimar tus dones; permanece fiel a ellos, y serás un gran escritor», fueron algunas de las palabras de Belinski a Dostoievski. Belinski era sincero, pero más tarde, al calificar rudamente al propio Gógol, sentó sin intención las bases para juzgar en idéntica forma a Dostoievski.

Durante muchos meses, Dostoievski fue como un bólido incandescente que atraviesa el espacio, para caer luego a tierra. Conoció así la razón y la verdad del desprecio. Gustó de la dulce y poética compañía de la belleza femenina, que hasta entonces había sido un puro espejismo. Todo lo conoció, desde un extremo al otro, desde la realidad hasta el ensueño, ¡cuando ni siquiera se había publicado su novela!

De nuevo su soledad creadora hubo de salvarlo. Se refugió en sí mismo, poniéndose a escribir un nuevo libro en el que había de concentrar los frutos del dolor y la angustia de aquellos meses. En enero de 1846, Fiodor, que apenas había cumplido 24 años en octubre anterior, se preparaba para buscar editor a su segunda novela, *El doble*, cuando por fin los censores oficiales autorizaron la publicación de *Pobres gentes*. Después de las numerosas leyendas y críticas que la precedieron, la obra fue recibida con positivo escándalo. «Ataques y violentos debates hay sobre mi libro», escribía Fiodor a su hermano Mijaíl, y añadía: «Se me insulta más y más, pero *soy leído*.»

De su obra *El doble*, Dostoievski aseguró que sería su obra maestra, habiendo sorprendido a los críticos, en las lecturas parciales de la misma, antes de su publicación. Cuando se publicó por fin, quienes la habían elogiado (Belinski, entre otros) reaccionaron en sentido contrario. Si *Pobres gentes* pudo haberse inspirado en la obra de Gógol, *El gabán*, de *El doble* se aseguró que era un plagio descarado de otra obra de Gógol, *La nariz*, citándose por Aksakov párrafos enteros que, más tarde, en la edición mejorada, se suprimieron, pero que obligaron a aquel crítico a decir: «No entiendo cómo esta novela ha sido publicada, cuando toda Rusia conoce a Gógol de memoria y repite hasta sus frases...» Dostoievski contestó en forma indirecta, escribiendo otra novela, *El señor Projarkin*, mutilada por la censura, y duramente criticada por Belinski, que así rompía definitivamente con Dostoievski.

Cierto es que *El doble* se inspiró en la obra de Gógol, pero tiene bellezas y pensamientos profundos que la de Gógol no tenía, además de que constituye una premonición de lo que la ciencia moderna del psicoanálisis ha hecho patente en el estudio de la personalidad.

Después de tan amargas experiencias, Dostoievski luchó desesperadamente por la reconquista de su fama perdida. Escribió novelas cortas y ensayos, publicados durante los años de 1847 a 1849, que reflejaban, invariablemente, la influencia de Gógol, pero que no lograron hacerle recapturar su gloria efímera de los primeros meses. Se sintió solo otra vez. «Éste es el tercer año de mi carrera literaria —escribió a su hermano Mijaíl–, y vivo como en la niebla. No puedo ver la vida y parece que no puedo recuperar mis sentidos... ¡Cómo quisiera que esto acabase! Me ha caído una reputación dudosa y no sé cuánto podrá durar este infierno de vivir en la pobreza y haciendo un trabajo chapucero. ¿Tendré alguna vez paz?»

Sus más valiosos amigos, Belinski y Turguéniev, le habían dado la espalda, y la maldición de las deudas seguía manteniéndolo atado a la miseria. Y hasta la misma pura y cálida amistad de su hermano Mijaíl llegó a estremecerse y flaquear, por las críticas severas de éste.

De ese modo, Fiodor Dostoievski se aproximaba rápidamente a la nueva ruta que su destino le había señalado: la de una transfiguración apostólica.

En 1847 Dostoievski frisa en los veintisiete años. Cada noche hace un balance de su vida cuando reclina su cabeza sobre la almohada. Perseguido por sus acreedores, toda su fatiga se concentra en poder ganar dinero para pagarles. Reñido con sus amigos, excesivamente sensible a la crítica y a la lisonja, encuentra un rival en cada jovenzuelo que se inicia en la literatura. Hertzen y Goncharóv se imponen en el ambiente. Fiodor busca un refugio, pero hasta ahora no se le conoce otra pasión que la de escribir, y está, como siempre, solo. Ha roto con amigos a quienes calificó de hombres-dioses: «Belinski me detesta, pero no tiene razón», «Turguéniev ama la frivolidad y es complaciente con la crítica...», etc. Sin embargo, la inmensa mayoría de las sátiras que se le hacían eran ignoradas.

Tenía, con todo, un buen amigo, soñador y amante de la literatura. Su amistad era un consuelo y también un apoyo. En esta fase de su vida Fiodor se ve invadido por extraños agüeros y presagios: cada palabra, cada gesto, y las mismas circunstancias de los acontecimientos diarios, adquirían una significación fatalista que él trataba de interpretar por la adivinación. Su amigo, el doctor Ianovski, lo cura de sus terrores místicos, con «la compresión humana, casi divina», más que con la ciencia.

En el ambiente intelectual de San Petersburgo existía una corriente subterránea de crítica contra el Gobierno. Desde 1825, los decembristas, los occidentalistas y los eslavófilos mantenían una guerra de nervios entre sí para «salvar la gran patria rusa». Dostoievski era partidario de la tradición histórica del pueblo eslavo, pero no asumió ninguna posición de compromiso político.

En casa de un estudiante, Petrashevski, empleado en el Ministerio de Relaciones Exteriores, se reunían varios amigos, los viernes por la noche. Allí se discutían las obras literarias del día, se comentaba la situación de la *intelligentsiya*, y se chismorreaba sobre la tiranía, la censura, el poder político del clero ortodoxo, la miseria de los campesinos, etc. El famoso Bakunin protestó alguna vez porque en esas veladas se hablaba de Fourier y calificó al grupo de «anodinos desocupados que hacen socialismo literario».

En la opinión pública se hablaba abiertamente de esas veladas con escarnio y burla. Dostoievski acudió a una invitación. Lo llevaba la curiosidad, pues ese *esperpento* de estudiante, Petrashevski, con su barba negra cerrada, era un atractivo *tipo* de novela. Además, Dostoievski encontró en el saloncito donde se celebraba la velada, una pequeña biblioteca de libros prohibidos por la censura, algunos de los cuales trataba de conseguir hacía tiempo. No había secreto en las discusiones, ni restricciones para entrar allí.

Un día, un espía italiano se aprovechó de la irresponsable confianza de los bohemios, entró a participar de las veladas, y con los datos obtenidos durante varios meses preparó un extenso informe acusatorio. En abril de 1849, durante una velada que se prolongó más allá de la medianoche, se consideró necesario que el grupo editara un periódico, y se leyó una carta clandestina de Belinski contra el clero. Cerca ya de la madrugada, se retiraron todos los asistentes a sus casas. Había niebla y llovía. Dostoievski llegó a su habitación a las cuatro de la mañana y muerto de fatiga se echó en la cama sin desvestirse. Una hora más tarde fuerzan la puerta de su cuarto, que se abre de par en par. Ante Fiodor un gendarme le ordena que se dé preso. Lo llevaron a la Fortaleza de Pedro y Pablo, donde ya se encontraba el resto del grupo Petrashevski, y además, el pequeño Andreiev, hermano menor de Fiodor, a quien se le había confundido con Mijaíl. Pocos días después fueron canjeados los dos hermanos, pero Mijaíl pudo librarse y comprobar que nada tenía que ver con aquello.

El 16 de abril, Dostoievski fue encerrado e incomunicado en un calabozo, oscuro y húmedo. «Estoy prisionero, confiesa, y no sé por qué. No he cometido ningún crimen, y con todo, sin ver la luz del sol y privado de mi libertad, me siento ahora *¡más libre que nunca!*» ¿Qué extraña y misteriosa transfiguración sufriría Fiodor Dostoievski? Su obra subsiguiente nos lo dice. El destino vino en forma catastrófica a salvarlo, a alejarlo de sus problemas y de sus deudas, pero eso no era lo importante. «Vino a enseñarme, explicó, que el Todopoderoso me envió a esta prisión para revelarme aquello que más vale en la vida, y sin lo cual no podemos vivir: la justicia del pueblo.» Bajo la influencia de estos estados mentales, en aquellas semanas transcurridas de abril a julio, se transfiguró en un apóstol bíblico.

La investigación de la causa se concluyó en agosto. Según ella, los acusados «no habían pensado rebelarse para deponer al gobierno de Nicolás I, y por tanto, no había delito que perseguir». Se pedía, así, su libertad. Pero la murmuración callejera, las envidias y las intrigas literarias mantuvieron la desconfianza del zar, y el ministro del Interior pidió la revisión del caso. En noviembre de 1849, una nueva decisión rectificaba la absolución anterior y de los veintiocho acusados, siete eran condenados a trabajos forzados en Siberia, seis libertados, y los otros quince condenados a muerte. Aun esa misma sentencia fue todavía objetada por el auditor general, quien pidió un consejo de guerra, el que dictó una sentencia de muerte para todos, aunque recomendando al emperador que «se conmutara por trabajos forzados en Siberia». Al dictar el zar los acuerdos definitivos, escribió de su propio puño al margen de la sentencia de Dostoievski, «cuatro años de trabajos forzados, otros cuatro de soldado».

Pero a los inculpados no se les comunicaron las sentencias. Eran los días de Navidad. El 22 de diciembre, antes del alba, se abrieron los calabozos de la vieja Fortaleza de Pedro y Pablo, donde estaban confinados los detenidos. Los gendarmes condujeron violentamente el grupo de sentenciados al cuartel regimental Smenoski. Los hicieron apearse de los carros blindados, y se les fue alineando contra el basamento de una gran plataforma patibularia, frente a la que se extendía la enorme explanada del campo de ejercicios militares, cuya muralla, a distancia, se veía coronada de curiosos: una multitud se había reunido misteriosamente con ese instinto con el que las moscas presienten un muerto.

Rompiendo el helado silencio de la madrugada, se pasó lista a los condenados. Después de angustioso silencio, una voz monstruosa, titubeante y tartamuda, fue leyendo el veredicto. Tras de leer la sentencia de cargos y el nombre de cada condenado, resonaba la pena fatídica: «¡a muerte!» Así oyó Dostoievski su propia condena. Le pareció escuchar la voz más recóndita del universo. Toda la eternidad transcurrió en aquel instante y la voz del verdugo apenas fue un lapso breve en aquel descenso al caos: «¡Fiodor Dostoievski! ¡Condenado a muerte!»

En aquella incursión instantánea al caos, Dostoievski supo apreciar lo que significaba el goce de existir para fructificar. «¿Y si no muriese? ¿Y si se me hiciese la gracia de la vida? ¡Qué eternidad! ¡Y sería mía! ¡Oh, entonces, cada minuto sería una existencia nueva! No perdería uno y contaría todos los instantes de mi vida para no malgastar ni uno solo...»

De pronto sobreviene el milagro. Una voz, distinta a la anterior, rompe el silencio y dice: «En su infinita clemencia, Su Majestad el Emperador, les perdona la vida...» En el fondo de su corazón el júbilo ocultó inmediatamente aquella realidad que todos los otros veían, menos él. Porque su realidad tenía un nexo vivo con lo divino que sólo él conocía. Por eso, ni la farsa de aquel jurado, ni la conmutación de la pena por la de trabajos forzados en Siberia, tuvieron para él los mortales efectos que mantuvieron las cabezas de todos sus compañeros de infortunio, hundidas para siempre en la desesperación. Por lo contrario, aquello era para Fiodor su resurrección. Con todo, jamás olvidaría aquellos momentos y los mantendría vivos y estampados en una sonrisa seráfica que nació desde aquel instante en su semblante. Todos lloraban de angustia y desesperación, menos Dostoievski «No estoy abatido, querido hermano, ni he perdido el valor. La vida es la vida dondequiera que haya un hombre vivo junto a otros, y reside dentro de nuestros corazones y no en el mundo que nos rodea. Pero el mantenerse firme en cualesquiera circunstancias, sin cobardías ni titubeos, eso es ser hombre y es vivir. No desmayemos. ¿Volveré a mi profesión de escritor? Así lo espero, en cuatro años. ¡Si se me prohibiese, moriría! ¿Cuándo nos veremos, cuándo? ¡Qué terrible tener que dejar todo, y dejarte, hermano querido! ¡Qué terrible partir en dos el corazón! Pero te veré. ¡Estoy seguro de que te veré!»

Siberia y cuatro años de cadenas y grillos. Miserias, sufrimientos indescriptibles... Lo más execrable e inadmisible de la bajeza del hombre. Lo más bestial y terrible y, también, lo más excelso. El goce más profundo y solemne, apenas gustado por los profetas bíblicos... esos fueron los estados de ánimo que alternativamente habría de experimentar Dostoievski en cuatro años. «La filosofía del hombre que purga su pecado» y «la sabiduría hecha carne que ambula, y sangre que llora para fructificar en salmos de valor y esperanza.» Eso fue su calvario desde enero de 1850 hasta febrero de 1854, años en que Dostoievski tuvo que arrastrar cadenas soldadas a sus pies, como todos los otros presidiarios. Una petición hecha en marzo de 1852, para que se las quitaran, fue denegada por el Emperador.

En este descenso a los infiernos reside el secreto de la profundidad y de la sinceridad dramática de la obra de Dostoievski.

Fue ese cautiverio lo que le hizo descubrir que la verdad reside en el dolor y que el corazón del hombre sólo puede medirse por su capacidad para el dolor. Cierto que aquellos «cuatro años de vivir dentro de un féretro, mataron muchas y magníficas aspiraciones... pero hicieron también que otras muchas florecieran...» Sus obras fueron saliendo de su cerebro, después de su liberación, con la lentitud dolorosa de la preñez y del parto.

Terminada su condena de trabajos forzados, cuando sus hermanos de sufrimiento le quitaron las cadenas, se despidió de ellos con lágrimas... no sabía si de gozo por su libertad, o de dolor por dejar tanto sufrimiento. Y entró de soldado. Salió, pues, de la penitenciaría de Omsk en febrero de 1854 y pasó a servir como soldado asistente en la población semioriental de Semipalatinsk.

Allí conoció a la primera mujer de la que habría de enamorarse perdidamente, aunque sin esperanza inmediata. Estaba casada con un fracasado, que poco después la dejó viuda. Pero ella se resistió a la invitación matrimonial de Dostoievski.

A fines de 1854 llegó a Siberia el barón Wrangel, a quien al salir de Moscú había visitado Mijaíl para hablarle del infortunio de su hermano Fiodor, y enviarle con él algunos libros que Fiodor le había pedido con ansia. Wrangel es en aquel rincón el representante del Emperador. Pero en el momento de su llegada, al presentársele un soldado con su uniforme descuidado, mal llevado, de cara demacrada, tenía ante sí, en el escritorio, numerosas cartas que le llevaban ya, evocaciones de Moscú.

Wrangel había oído hablar de Dostoievski, y hasta había leído algunos de sus libros... ¿Era posible que ese desmedrado y enfermizo soldado fuera Fiodor Dostoievski? Olvidando su investidura y su rango, el barón abrazó fraternalmente a Dostoievski, pues en cuanto a edad, Wrangel casi hubiera podido ser su hermano menor. Poco más tarde, el barón le escribía a su padre: «¿Es posible que este genial Dostoievski esté condenado a morir aquí como un vulgar soldado? Eso sería horrible, pues lo quiero como a un hermano y lo respeto como a un padre...»

Gracias a la admiración y al afecto de Wrangel, la situación de Dostoievski, como condenado político, fue más soportable.

Cerca de las oficinas centrales, se instaló Dostoievski en una isla o choza de madera, y allí, con emoción profunda, fue paulatinamente reincorporándose al mundo, a través de la lectura de los libros enviados por su hermano. Fue allí, en aquella isla, donde comenzó a escribir sus emocionantes experiencias de *El sepulcro de los vivos*.

Pasaron, todavía, tres años más. En 1857 fue amnistiado, recuperó su carácter legal de súbdito, reinstalándose en su antiguo grado de teniente de Ingenieros. Casado ya con la hermosa viuda, María Constant, trató de reanudar su carrera literaria comenzando a publicar lo que había escrito hasta entonces. En 1859 se le permitió el retorno a Rusia, pero todavía bajo la vigilancia de la policía.

De regreso en San Petersburgo, se encuentra con su hermano Mijaíl, que es propietario de una próspera fábrica de cigarrillos. De nuevo renacen los lejanos planes del colegio. ¿Por qué no hacer un periódico? Mijaíl tiene un corazón de oro y no puede oponerse a los sueños e intentos de Fiodor. Vende todo, adquiere una imprenta y publican un diario: *Vremya* (El Tiempo). Allí se inicia entonces la brillante carrera literaria de Dostoievski, con su primera gran novela: *Humillados y ofendidos*, terminada en 1861.

Anteriormente había publicado ya algunas novelas cortas, de las comenzadas diez años antes, y una más, escrita en Siberia, *La alquería de Stepanichkovo*.

Su obra *Humillados y ofendidos* le permite reconquistar su antigua fama, remozada por la tremenda experiencia del destierro. Viaja entonces por Europa, recorriendo un largo itinerario: Berlín, París, Londres, Ginebra e Italia; ésta le aburre. Escribe novelas cortas y, al regreso, sus *Notas de invierno sobre impresiones de verano*, que son una crítica despiadada de la civilización occidental.

En todo ese tiempo, y desde su matrimonio con la viuda, tuvo que sobrellevar la tragedia de su infeliz amada, enferma de tuberculosis, lo que hizo que su vida matrimonial fuera nula. En 1862, corrió la aventurilla que le dio una nueva lección: citó en París a la estudiante Paula Súslova, aspirante a escritora, que más tarde habría de lograr su sueño escribiendo el diario de sus aventuras con Dostoievski.

A mediados de 1864, perdió a su hermano Mijaíl, camarada y amigo. Se encargó, entonces, de pagar sus deudas y las de su hermano. Liquidó el periódico. Al año siguiente, murió, al fin, su infortunada esposa.

Con la publicación de la *Memoria del subsuelo* se inicia la obra madura de Dostoievski, aunque dos años antes, la obra más identificada con su propia tragedia, *La casa de los muertos*, le había dado un gran renombre. En esta obra, Dostoievski describe todo aquello que pudo decir de su tremenda experiencia siberiana. Entre 1864 y 1867 aparece *Crimen y castigo*, en la que se delinea, en forma precisa, la doctrina de Dostoievski como interrogador del destino. Después de *El jugador*, obra de relleno, para saldar deudas apremiantes, aunque no por eso menos interesante, escribe su novela, muy autobiográfica, *El idiota*.

En un esfuerzo que le lleva más de dos años, escribe y publica *Los demonios* (1870-1872), su obra de mayor aspiración ideológica, y también la más discutida, por su tesis política y filosófica y en la que vierte todo su poder creador como novelista. Sólo una novela más, de grandes proporciones, ha de escribir ahora, aunque sus planes son los de escribir diez más, en un período que calcula le podrá llevar diez o quince años...

Pero Dostoievski está enfermo... Desde los días (1866) en que escribe *El jugador*, sus deudas han llegado a lo imposible. Cansado, enfermo, fatigado al punto de que no puede cumplir sus compromisos, sus amigos le envían una secretaria: Ana Grigorievna Snitkin, con la que poco tiempo después contrae matrimonio. La nueva esposa resulta ser un ángel custodio, inspirador, apoyo firme y sólido, con el cual le será posible a Dostoievski continuar su tarea creadora en lo que le quede por vivir. Después del matrimonio, Dostoievski y su esposa permanecen alejados de San Petersburgo, durante cuatro años.

En esos años, Dostoievski contrae una pasión por el juego que le hace abandonar por completo sus compromisos. Es por medio de su tremenda fuerza de voluntad que logra liberarse. Para entonces, Ana Grigorievna le ha dado ya dos niños. De nuevo retorna a San Petersburgo, y adquiere una pequeña propiedad en las afueras de la ciudad, a donde se traslada periódicamente. Su método es ahora preciso, rígido, con diez, doce y hasta catorce horas diarias de labor intensa. Escribe no sólo sus novelas, sino, además, numerosos artículos y colaboraciones periodísticas, pues es también un famoso periodista, y esta profesión lo mantiene atareado en la realización de su obra más sólida y realista, la que consideró su apostolado: la de sembrar en la conciencia del pueblo ruso aquel evangelio de Cristo que conoció y amó en Siberia.

En esta enorme y fecunda producción, más tarde reunida en su *Diario de un escritor*, puede apreciarse la clara conciencia que Dostoievski tuvo de su poder creador. Es posible ver, también, la triple personalidad de Dostoievski como pensador: la de su cristianismo nacionalista, evidente en sus actividades de periodista; la del filósofo-profeta, que se desenvolvió en sus novelas (el padre Zósimo, el Gran Inquisidor, sus disquisiciones sobre la doble personalidad del hombre, *El adolescente, Memorias del subsuelo*, etc.), y finalmente, la personalidad del pensador, indagador del destino (como Job, como Prometeo), que plantea los misterios y la mística y la mitología del destino del hombre. Es en tales aspectos que su genio alcanzó niveles de excelsitud, sólo comparables con los de Pascal y de Nietzsche.

Durante todos esos años, Dostoievski se levanta ante el mundo como profeta, como filósofo y como poeta, y emplea el poder de su talento y de su combatividad polémica, para defender a Rusia y sus tradiciones históricas populares de lo que consideró siempre la peligrosa invasión occidental de la civilización «materialista, industrial y maquinista de Europa».

El desarrollo, en plena madurez y fecundidad, de su genio lo llevó a considerar que su verdadera misión era la del profeta que da voces de advertencia al futuro. Así, el apogeo de su gloria llegó a su culminación cuando la Sociedad de Amigos de la Literatura, a mediados de 1880, preparó un homenaje nacional para inaugurar el monumento al poeta Púshkin, homenaje en el cual se eligió al escritor Turguéniev para pronunciar el discurso oficial. La dramática escena en que Dostoievski «cosechó y disputó la gloria que se tributaba a Púshkin», como rencorosamente dijo un crítico, constituyó ciertamente la apoteosis de Dostoievski y de su obra. Púshkin fue siempre su símbolo de la Rusia incontaminada por la ambición materialista de la «Europa macilenta, degenerada y perdida en su corrupción y ateísmo».

Y ahora que Rusia entera tributaba el reconocimiento de su admiración a la voz profética de Púshkin, el orador oficial Turguéniev, vacilante, temeroso de «hablar demasiado elogiosamente del símbolo del eslavismo ruso», apenas se atrevió a decir: «yo no puedo declarar que Púshkin es *el más grande poeta de Rusia*, pero no me atrevería tampoco a negarlo».

¿Era eso todo lo que Púshkin significaba para Turguéniev? Dostoievski, que durante su vida había pasado innumerables noches en vela pensando en la gloria nacional que era Púshkin, ahora, a estas alturas, venía a escuchar aquella cobarde alocución acerca de su ídolo.

Al día siguiente, en una reunión de menor categoría que la solemne del día anterior, Dostoievski, sin embargo, pronunció, estremecido, patético, su memorable discurso, que tuvo la virtud de unir, al menos en aquellos momentos históricos, a todos los intelectuales que, desde una y otra trinchera, ambas antagónicas, decían que peleaban por la grandeza de Rusia. En ese discurso, Dostoievski, después de definir la esencia profética de Púshkin, hizo un magistral análisis de su obra en relación con su vida y con la patria, sentando aquellas premisas de la concepción literaria y su construcción, que en la novelística él mismo practicó y dejó sentadas para ejemplo de los estudiosos y de quienes aspiran a crear una obra nacional.

Después de la velada solemne que cerró el ciclo de actividades del homenaje a Púshkin; Dostoievski regresó a San Petersburgo, al lado de su esposa y de sus hijos. Sentía una gran necesidad del calor del hogar. Al entrar el invierno, la vieja afección pulmonar lo asaltó con más fuerza que nunca. Enfisema o asma, la antigua dolencia parecía más bien una tuberculosis. La gravedad fue acentuándose con la intensidad del invierno, pero Dostoievski continuó trabajando y trazando planes.

Finalmente, el 28 de enero de 1881, Dostoievski, prototipo viviente de los personajes de sus obras, después de consultar el Evangelio, anunció su propia muerte. Y así, en la noche de ese día, el gran profeta, el gran enamorado de la tradición de su pueblo, entró en el reino de sus propios cielos, los cielos de su vida, de su obra y de su ensueño.

Dostoievski es el creador único de un género en el que la idea predomina sobre el estilo. Fundó una mística literaria que tuvo muchos adeptos, sobre todo a fines del siglo pasado. Y es a través de la obra de éstos que ha sido más posible y menos ostensible, encontrar la actitud mística del maestro, en las creaciones contemporáneas de la ficción novelística posterior. Para el lector, penetrar en la obra de Dostoievski es comprender lo que él vio en su tiempo: la segregación mortal del hombre como hombre, de la fe en su progreso como ser inteligente. Dostoievski palpó y describió magistralmente este divorcio, sobre todo en el aspecto en el que el hombre ha sido empujado hacia la forma de concebir sus dioses y amarlos, en vez de dejársele que organice su propia idea de Dios. Considerados los vacíos filosófico-sociales de Dostoievski para apreciar todo el alcance de su propia doctrina, vacíos que lo llevaron a contradecir y antagonizarse con sus contemporáneos, es indudable que su doctrina (entendiendo por eso *la unidad de sus ideales*), su obra y su propia vida, fueron las de un iluminado portador de un mensaje, en la forma en que un apóstol lo recibe y lo transmite. Por eso, el ejemplo de Dostoievski como intérprete de su tiempo y de su pueblo, aun equivocado (así como sus profecías), es, sin embargo, respetable como lo es todo esfuerzo que impulsa al genio a ser un fecundador de fecundadores.

«La enorme masa de Tolstoi oscurece aún el horizonte, pero así como en un territorio montañoso se ve aparecer la más alta cumbre a medida que nos retiramos y alejamos, por encima de las más próximas que la ocultaban, por detrás del gigante Tolstoi aparece y toma proporciones la figura de Dostoievski». Esto lo dijo André Gide en 1908, y en este tiempo, los dos gigantes rusos se levantan en la literatura universal como los más luminosos faros de la ciencia y arte que, a las puertas del siglo XX, señalan el camino para la evolución y el desarrollo posterior de la novela contemporánea.

En la obra de Dostoievski existe tal variedad de temas, y de formas de tratarlos, que su estudio minucioso formaría, indudablemente, por sí solo, un curso didáctico de literatura. Poco se sabe, por otra parte, de cuán devoto y constante estudioso fue de los clásicos españoles del Siglo de Oro. Fue un apasionado comentador de *Don Quijote*, del que hizo frecuentes y enjundiosos comentarios en su *Diario de un escritor*.

El eterno marido es una pieza psicoanalítica de tal importancia, que el mismo Freud, al hacer el estudio del *caso Dostoievski* no pudo evitar el considerarlo no bajo la teoría y tradición profana, que por algún tiempo consideró a Dostoievski como un *carácter epiléptico*, sino como un precursor, cuya visión genial es única en la literatura.

Leer y releer a Dostoievski es no sólo un gran placer y una refinada cultivación del poder analítico y metafísico, sino también una exploración filosófica por esos mundos intermedios que flotan entre la ciencia y la filosofía, sin sujetarse a las normas o disciplinas rígidas y fatigantes de esas ciencias. Estudiarlo y reestudiarlo es, además, un imperativo deber de todo aquel que se sienta impelido por la voz apostólica del escritor novelista, y que, como los heraldos olímpicos, tiene el destino sagrado de recibir y transmitir la llama y la luz del pensamiento vivo y creador del hombre. ¿No fue ésa la voz y no fue ése el ejemplo de Fiodor Mikhailovich Dostoievski.

Ignacio Millán

EL ETERNO MARIDO

I

VELCHÁNINOV

Llegó el verano, y Velcháninov, muy en contra de lo que esperaba, se encontraba todavía en Petersburgo. Su viaje al sur de Rusia no se le había arreglado, y su pleito no llevaba trazas de concluir. El asunto –un litigio sobre propiedad de unas tierras– tomaba mal cariz. Tres meses antes parecía sencillísimo, sin sombra de duda, pero, bruscamente, todo cambiaba. «Por otra parte, lo mismo ocurre con todo; hoy, todo se tuerce», se repetía sin cesar a sí mismo, malhumorado.

Había acudido a un abogado muy hábil, caro y de fama, sin escatimar honorarios; pero, empujado por la impaciencia y la desconfianza, decidió ocuparse por sí mismo del asunto, escribiendo papeles que el abogado se apresuraba a escamotear, corriendo de tribunal en tribunal, haciendo averiguaciones inútiles, y en realidad entorpeciéndolo todo. Al fin, el abogado no pudo menos que quejarse y aconsejarle que se fuera a pasar una temporada al campo.

Pero él no podía resolverse a marchar. El polvo, el calor asfixiante, las noches blancas de Petersburgo, que sobreexcitan y enervan, todo ello parecía deleitarle y retenerle en la ciudad. Ocupaba, en los alrededores del Gran Teatro, un pisito que había alquilado hacía poco y que no acababa de gustarle. «¡Nada acababa de gustarle!» Su hipocondría, cuyo germen llevaba hacía ya tiempo, iba creciendo de día en día. Era un hombre que había vivido mucho, y holgada y alegremente.

A pesar de sus treinta y nueve años, se encontraba ya lejos de la juventud.

Toda aquella «vejez», como él decía, le había caído encima «casi de sopetón». Él mismo comprendía que lo que le había envejecido tan rápidamente no era la cantidad, sino, por decirlo así, la calidad de los años, y que si se sentía flaquear antes de tiempo, era más bien culpa del espíritu que del cuerpo. A primera vista se le habría tomado aún por un hombre joven: alto, fuerte y rubio, con una cabellera abundante, sin una sola cana, y una hermosa barba que le llegaba casi a la mitad del pecho. Su aspecto podía parecer, al principio, tosco y desaliñado; pero, observándolo más atentamente, se advertía en seguida a un hombre perfectamente educado y acostumbrado a los usos y modales de la mejor sociedad. Conservaba un aire de soltura y hasta de elegancia que no lograba ocultar la brusca tosquedad que se había apoderado de él, y tenía aún aquel aplomo aristocrático, cuyo efecto quizá ni él mismo sospechaba. Y eso que era hombre de una inteligencia, no ya despejada, sino sutil y excelentemente dotado.

Su cutis blanco y sonrosado había tenido en otro tiempo una delicadeza verdaderamente femenina, que llamaba la atención a las mujeres. Y aún decían, al mirarle: «¡Hermosa salud! ¡Nácar y rosas!». Sólo que esta hermosa salud se hallaba cruelmente impregnada de hipocondría. Sus grandes ojos azules, diez años atrás hicieron muchas conquistas; ojos tan claros, tan alegres, tan despreocupados, que, sin querer, retenían la mirada que tropezaba con ellos. Hoy, al borde de la cuarentena, la claridad y la bondad casi habían desaparecido de aquellos ojos, ya cercados de ligeras arrugas. Ahora, por el contrario, se reflejaban en ellos el cinismo de un hombre de costumbres relajadas, hastiado de todo, la astucia, con frecuencia el sarcasmo, o bien un nuevo matiz que no se les conocía antes, un matiz de sufrimiento y de tristeza, tristeza distraída y como sin objeto, pero, no obstante, profunda. Esta tristeza se manifestaba sobre todo cuando estaba solo. Y lo extraño es que este hombre, que hacía dos años apenas era jovial, alegre y disipado, que contaba tan a la perfección historietas tan divertidas, hubiese llegado a desear la soledad por encima de todo. Deliberadamente, había roto con sus numerosos amigos, cosa acaso innecesaria, aun después de la ruina total de su fortuna. A decir verdad, el orgullo había tenido gran parte en ello. Su orgullo, tan susceptible, le hacía intolerable el trato de sus antiguos amigos; de modo que, poco a poco, había llegado al aislamiento. No por eso quedaron atenuados los sufrimientos de su orgullo, al contrario; pero, al exasperarse, tomaron una forma particular, completamente nueva, llegando a sufrir a veces por motivos imprevistos, que en otro tiempo no existían para él, en los que ni siquiera había pensado; por motivos de «orden superior», a los que hasta entonces no concediera importancia... «Suponiendo que realmente haya motivos superiores y motivos inferiores», añadía para sí. Era cierto, había llegado a estar obsesionado por motivos *superiores*, en los que antes nunca hubiera pensado. En el fondo, lo que él entendía por motivos superiores eran esos motivos de los que —con gran asombro suyo— nadie podía, sinceramente, reír a solas. (A solas, claro está, pues delante de gente es muy distinto.) Él sabía de sobra que a la primera ocasión, mañana mismo, dejaría plantados todos aquellos secretos y piadosos mandamientos de su conciencia, enviando a paseo con mucha tranquilidad los «motivos superiores», siendo el primero en reírse de ellos. Sin duda, eso es lo que ocurriría; pero, entretanto, había conquistado una singular independencia de espíritu con respecto a los «motivos inferiores», que hasta entonces tan despóticamente le gobernaran. Muchas mañanas, al levantarse, hasta se avergonzaba de las ideas y sentimientos que había tenido durante el insomnio de la noche. (Y desde hacía algún tiempo padecía de frecuentes insomnios). Había notado que tenía, desde hacía mucho tiempo, una marcada inclinación a sentir escrúpulos, ya se tratara de cosas importantes o de nimiedades; así que había resuelto fiarse lo menos posible de sí mismo. Sin embargo, a veces tenían lugar hechos cuya realidad no era posible poner en duda. En los últimos tiempos, con frecuencia durante la noche, sus ideas y sentimientos cambiaban hasta el punto de convertirse casi en lo contrario de lo normal, y muy a menudo perdían toda conexión con las ideas y sentimientos diurnos. Se impresionó mucho al darse cuenta de ello, y se fue a consultar a un médico famoso, amigo suyo, al que —claro está— contó la cosa en tono de broma. El médico respondió que el hecho de la alteración y hasta el desdoblamiento de las ideas y sensaciones durante la noche, en estado de insomnio, es un caso muy corriente en hombres que «piensan y sienten intensamente»; que, a veces, las convicciones de toda una vida cambian súbitamente, de pies a cabeza, bajo la acción deprimente de la noche y del insomnio; que de ahí el que se adopten, sin venir a cuento, resoluciones que necesariamente han de ser fatales; que todo ello, por otra parte, va por sus pasos contados, y que, en suma, si el sujeto experimenta muy vivamente el desdoblamiento de su persona y sufre a causa de ello, es señal de una verdadera enfermedad y urge, en ese caso, acudir a atajar el mal. Lo mejor, es cambiar radicalmente de género de vida, ponerse a régimen, o viajar; una purga tampoco estaría de más.

Velcháninov no quiso seguir oyendo; la cosa era bien clara: estaba enfermo. «¡A eso se reducía la obsesión que él atribuía a algo *superior*! ¡A una enfermedad, simplemente!», exclamaba con amargura.

Pronto el fenómeno, que hasta entonces no había experimentado más que por la noche, se produjo también durante el día, pero con mayor intensidad. Y ahora sentía una satisfacción maliciosa y sarcástica, en lugar del enternecimiento nostálgico de antes. Venían a su memoria, cada vez con más frecuencia, «súbitamente, y sabe Dios por qué», algunos acontecimientos de su vida anterior, de las épocas primeras de su vida, y estos acontecimientos se presentaban a él de un modo extraño. Hacía ya tiempo que se quejaba de haber perdido la memoria, olvidando las caras de personas conocidas –que cuando, por casualidad, le encontraban y él no las reconocía, se mostraban ofendidas–, e incluso un libro leído seis meses antes. Pues bien, a pesar de esta pérdida evidente de la memoria, sucesos de un período muy lejano, hechos olvidados desde hacía diez o quince años, se presentaban bruscamente a su imaginación, con tal relieve en todos sus detalles, con tal vivacidad de impresión, que podía decirse que los revivía. Algunas de aquellas cosas que volvían a su conciencia habían estado hasta entonces tan completamente abolidas, que el solo hecho de verlas reaparecer se le antojaba extraño. Pero aquello todavía no era nada; estas resurrecciones se producen en todo hombre que haya vivido mucho. Lo importante es que aquellos acontecimientos le volvían a la memoria bajo un aspecto modificado, enteramente nuevo, imprevisto, presentándosele desde un punto de vista en que jamás hubiera pensado. ¿Por qué tal o cuál acto de su vida pasada le hacía hoy el efecto de un crimen? Realmente, él no se habría preocupado, de tratarse sólo de una sentencia abstracta dictada por su espíritu; pues de sobra conocía su natural sombrío, raro y enfermizo, para conceder importancia alguna a sus decisiones. Pero su reprobación tenía una resonancia más profunda, llegaba casi a maldecirse y a estallar en lágrimas interiores. ¿Qué habría dicho él, no hace dos años, si le hubiesen anunciado que lloraría un día?

Lo que primero le vino a la memoria fueron, no estados de sensibilidad, sino cosas que antaño le habían herido o molestado. Recordaba ciertos fracasos mundanos, ciertas humillaciones; recordaba, por ejemplo, las «calumnias de un intrigante», a causa de las cuales habían dejado de recibirle en una casa; o bien cómo, no hacía mucho, había soportado una ofensa premeditada y pública, sin pedir cuentas al ofensor; y cómo, un día, en una reunión de señoras de la mejor sociedad, había sido víctima de un punzante epigrama, al que no supo qué responder... Recordaba también dos o tres deudas que no había pagado, deudas insignificantes, es cierto, pero deudas de honor al cabo, contraídas con personas que había dejado de ver y de las que, sin embargo, se permitía hablar mal cuando llegaba el caso. Sufría, asimismo, pero únicamente en sus ratos peores, con la idea de haber malgastado del modo más estúpido dos fortunas, ambas considerables... Pero pronto le tocaba la vez a los recuerdos y remordimientos de orden «superior». De improviso, por ejemplo, «sin ton ni son», surgía, del fondo de un olvido absoluto, la figura de un empleado viejo, calvo y grotesco, al que un día, hacía ya mucho tiempo, ofendiera impunemente, por pura bravata, sólo por hacer un chiste muy gracioso y que fue muy celebrado. A tal punto había olvidado toda aquella historia, que no conseguía dar con el nombre del anciano. Y, sin embargo, evocaba todos los detalles de la escena con una claridad extraordinaria. Recordaba perfectamente que el viejo había defendido la reputación de su hija, solterona ya madura, que vivía con él, y respecto a la cual se habían hecho correr rumores malévolos. El vejete había dado la cara y se había enfurecido; luego, de pronto, rompió a llorar delante de todo el mundo, cosa que causó cierta impresión. Habían acabado por atracarle de champaña y hacer burla de él. Y ahora que, «sin ton ni son», evocaba Velcháninov al pobre viejo sollozando, hundido el rostro entre las manos, como un niño, le parecía imposible haber podido olvidarlo. Y, cosa extraña, esta historia, que en otro tiempo encontraba tan cómica, le hacía ahora una impresión contraria, sobre todo algunos detalles, en especial cuando recordaba su cabeza hundida entre las manos.

Recordaba también como, por pasatiempo, había difamado a la mujer de un maestro de escuela, y cómo la difamación había llegado a oídos del marido. Velchaninov había dejado poco después la localidad y no supo las consecuencias de su difamación; pero ahora, de pronto, se preguntaba cómo habría acabado todo aquello; y Dios sabe hasta dónde le habrían llevado sus conjeturas, si un recuerdo mucho más reciente no le hubiese embargado bruscamente el espíritu: el de una muchacha de una modesta familia burguesa, que jamás le había gustado, de la que hasta se avergonzaba, y con la cual, casi sin saber cómo, tuvo un hijo. Había abandonado a la madre y al niño, sin decirles adiós siquiera (claro que por falta de tiempo), cuando se fue de Petersburgo. Más tarde, durante un año entero, había estado haciendo gestiones para encontrar a aquella muchacha, sin conseguirlo. Los recuerdos de esta índole se presentaban a él a centenares, cada uno trayendo otros consigo.

Ya hemos dicho que su orgullo había tomado una forma singular. Había momentos —raros, es cierto— en que olvidaba su amor propio al punto de serle indiferente no tener ya coche particular y verse obligado a ir a pie de tribunal en tribunal, vestido de cualquier modo. Si, por casualidad, alguno de sus antiguos amigos le miraba en la calle con aire burlón, o aparentaba no conocerle, su orgullo era tal que ya no se ofendía. Y muy sinceramente no se ofendía. A decir verdad, estos momentos de olvido de sí mismo eran bastante escasos; pero, en general, lo cierto es que su vanidad se desinteresaba, poco a poco, de las cosas que hasta entonces le habían afectado, y se concentraba en una sola, siempre presente a su espíritu.

«Sí, pensaba con sarcasmo (casi siempre que pensaba en sí mismo era sarcásticamente), no hay duda de que alguien se preocupa de mejorarme, sugiriéndome todos esos malditos recuerdos y esas lágrimas de arrepentimiento. Bueno, y después de todo, ¿qué? ¡Pólvora en salvas! Muy bien las lágrimas de arrepentimiento; pero ¿no tengo acaso la seguridad de que a pesar de mis cuarenta años, cuarenta años de una existencia estúpida, no me queda una migaja de libre albedrío? Que mañana se presentara de nuevo la misma tentación, que, por ejemplo, tuviera otra vez interés en propalar el rumor de que la mujer del maestro de escuela aceptaba de muy buen talante mis obsequios, y de sobra sé que volvería a las andadas, sin la menor vacilación, tanto más vil y más insidioso por ser la segunda vez. Que mañana a aquel principillo a quien, hace once años, rompí una pierna de un balazo, se le ocurriese ofenderme de nuevo, pues me apresuraría a llevarlo al terreno, y le costaría una segunda pata de madera. Todas estas vueltas al pasado, es pólvora en balde, sin eficacia alguna. ¿A qué santo estos recuerdos, cuando ni siquiera consigo verme libre de mí en el presente?»

No había ya maestra de escuela que difamar, ni pierna alguna que romper, pero la sola idea de que, en un momento dado, podían renovarse estos hechos le desesperaba. No es posible estar continuamente entregado a los recuerdos; preciso es que haya entreactos, durante los cuales poder respirar y distraerse.

Esto hacía Velcháninov: estar dispuesto a aprovechar los entreactos para distraerse; pero mientras más tiempo pasaba, más penosa se le hacía la vida en Petersburgo. Con frecuencia le asaltaban deseos de dejarlo todo, empezando por el pleito, y marcharse a cualquier parte sin tardanza, a un rincón de Crimea, por ejemplo. Una hora después, por regla general, reía ya del proyecto. «No hay clima, no hay mediodía que pueda acabar con estos malditos pensamientos. Una vez que han venido, yo, que soy hombre de costumbres, no podré ya sacudírmelos. Además, no hay motivo…»

«Y ¿por qué voy a irme?, continuaba filosofando con amargura. Hace aquí tanto polvo y un calor tan sofocante;

hay en estos tribunales en que me paso el día, entre todos estos hombres de negocios, tantas preocupaciones enervantes, tantos problemas abrumadores; y en todas estas gentes que llenan la ciudad, en todos estos rostros que pasan desde la mañana hasta la noche, se ve un egoísmo tan ingenua y sinceramente exteriorizado, una audacia tan grosera, una cobardía tan ruin, una pusilanimidad tan baja, que, desde luego, esto es el paraíso para un hipocondríaco. Todo es franco aquí, todo se muestra sin tapujos; nadie se toma el trabajo de disimular, como hacen nuestras damas y damiselas en todas partes: en el campo, en los balnearios, en el extranjero... Sí, realmente, todo merece aquí la más sincera estimación, aunque sólo sea por su franqueza y sencillez... ¡No me iré! ¡Reventaré aquí, si es preciso, pero no me iré!»

II

EL SEÑOR DE LA GASA NEGRA

Era el 3 de julio. Soplaba un aire pesado, y hacía un calor asfixiante. Aquel día Velcháninov estuvo muy atareado. Toda la mañana se la había pasado en comisiones y diligencias; una visita urgente debía ocuparle la tarde. Visita a un consejero de Estado muy influyente, que podía serle útil, y al que tenía que ver en su casa de campo, situada muy lejos, a orillas del Chiornaya.

Así, pues, al atardecer, a eso de las siete, entró Velcháninov para comer en un restaurante de apariencia bastante mediocre, pero francés, de la Nevskii Próspekt, junto al puente de la Policía. Se sentó en su rincón de costumbre, ante la mesita que le estaba reservada, y pidió la comida. Todos los días comía por un rublo, sin contar el vino, que casi nunca tomaba en vista del mal estado de su bolsillo. Se sorprendía a veces de que se pudiera comer una comida semejante, a pesar de lo cual ingería hasta la última migaja, devorando con el mismo apetito que si llevase tres días de ayuno. «Esto debe ser morboso», pensaba al darse cuenta de ello.

Aquella tarde se sentó a la mesa con la peor disposición de ánimo. Tiró violentamente el sombrero a un rincón, puso los codos sobre el mantel, y se quedó pensativo. A poco que su vecino hubiera hecho el menor ruido, o que el mozo no le hubiese comprendido inmediatamente, él, que de ordinario era cortés, y cuando la ocasión lo exigía pacientísimo, habría sin duda alguna armado un alboroto, y hasta puede que un verdadero escándalo.

Habían servido el puré, y Velcháninov cogía ya la cuchara para empezar a comer, cuando de pronto, con ademán brusco, la tiró sobre la mesa y saltó casi de la silla. Un pensamiento imprevisto acababa de cruzar por su cerebro. En un instante, sabe Dios cómo, acababa de comprender el motivo de su angustia, de aquella extraña angustia que le torturaba desde hacía tantos días, acosándole, vaya usted a saber por qué, sin un momento de tregua. De pronto, comprendía y veía este motivo tan claramente como los cinco dedos de su mano.

—¡El sombrero! —murmuraba, como iluminado—. Sí, ese maldito sombrero con esa abominable gasa negra. ¡Ésa es la causa de todo!

Velcháninov se puso a reflexionar; pero, mientras más pensaba en ello, más se ensombrecía, más extraño le parecía «todo el suceso».

«Pero... pero... ¿se trataba realmente de un suceso? —se preguntaba, siempre desconfiado—. ¿Qué hay en todo esto que se pueda calificar de suceso?»

He aquí lo que había ocurrido:

Aproximadamente quince días antes —a decir verdad, él no lo recordaba con exactitud, pero eso debía de hacer— había encontrado por primera vez en la calle, el sitio no hace al caso —sí, en el cruce de las calles Podiatcheskaya y Mieschánskaya—, a un hombre que llevaba una gasa negra en el sombrero. El individuo en cuestión era como todo el mundo, y no ofrecía nada de particular. Había pasado deprisa, pero al pasar lanzó a Velcháninov una mirada insistente que le llamó extraordinariamente la atención. Tuvo enseguida la impresión de que aquella cara no le era desconocida. Sí, sin duda la había visto ya en algún sitio.

«¡Bah!, pensó. ¡Pues no habré visto en mi vida pocos miles de caras! ¡Si fuera uno a acordarse de todas!»

No había andado veinte pasos, cuando ya había olvidado este encuentro, a pesar de la impresión que le había hecho, impresión que le duró todo el día, extrañamente. Era como una irritación sin objeto, y muy singular.

Ahora, quince días después, recordaba todo aquello clarísimamente. Recordaba también que no había podido comprender entonces la causa de aquella irritación, hasta el punto de que ni siquiera se le ocurrió la idea de una relación posible entre su mal humor de toda la tarde y el encuentro de la mañana.

Pero el sujeto tuvo buen cuidado de no dejarse olvidar. Al día siguiente volvió a cruzarse con Velcháninov en la Nevskii Pròspekt y, como la vez anterior, le miró fijamente, de un modo extraño. Velcháninov escupió, en señal de desdén; pero apenas había escupido, se sorprendía ya de lo hecho.

«Evidentemente, hay fisonomías que nos inspiran, no se sabe por qué, una invencible repugnancia.»

—Es indudable, yo conozco a ese tipo de alguna parte —murmuraba, todavía con aire pensativo, media hora después del encuentro.

Y de nuevo toda aquella tarde estuvo de humor desapacible, y por la noche tuvo un sueño agitado. No obstante, siguió sin ocurrírsele la idea de que aquel enlutado pudiera ser la causa de su malestar; y eso que aquella misma noche le volviera con frecuencia a la memoria.

Antes bien, se irritaba de que «una majadería semejante» ocupara tanto lugar en sus recuerdos, y, seguramente, de haber pensado en ello, se habría sentido muy humillado de tener que atribuirle lo anormal de su estado.

Dos días más tarde lo encontró de nuevo en medio de un grupo de gente, en un desembarcadero del Neva. Esta vez Velcháninov habría jurado que el señor de la «gasa negra» le había reconocido; pero, en ese momento, la multitud les había separado. Hasta le parecía que hizo ademán de tenderle la mano; quizá hasta le había llamado por su nombre. El resto, Velcháninov no lo había oído claramente. No obstante... «Pero ¿quién podrá ser ese mamarracho? ¿Por qué no se acerca, si realmente me conoce y quiere hablarme?», pensó, encolerizado, mientras saltaba en un coche de punto para ir al convento de Smilnii.

Media hora después discutía acaloradamente con su abogado; pero la noche volvió a traerle la angustia más absurda.

«¿Tendré, acaso, un derrame de bilis?», se preguntó, con inquietud, mirándose en el espejo.

Luego transcurrieron cinco días sin encontrar a «nadie» y sin que el mamarracho diera señales de vida. ¡Y, sin embargo, no podía olvidar al hombre de la gasa negra!

«Pero, ¿qué es lo que me pasa? ¿Quién es ese hombre para que yo me ocupe tanto de él? —pensaba Velcháninov—. ¡Hum...! Seguramente que él también tiene mucho quehacer en Petersburgo... Pero, ¿por quién estará de luto...? No cabe duda de que me ha reconocido... Yo a él no... Y ¿por qué llevarán esas gentes una gasa negra...? No les va... Me parece que, si le viera de más cerca, yo también le reconocería...»

Y era como si algo comenzara a agitarse en sus recuerdos, como una cosa que se sabe, que se ha olvidado y que hace uno todo lo posible por recuperar. Sabe uno perfectamente la palabra, sabe que la sabe, sabe lo que quiere decir, da uno vueltas alrededor de ella... y no puede apresarla. «Fue... sí, hace mucho tiempo... en un sitio que... había allí... ¡Al diablo lo que había o dejaba de haber! ¿Vale la pena ese mamarracho de tomarse un trabajo semejante?» Y una terrible irritación se apoderaba de él.

Pero por la noche, al recordarla, experimentó una gran confusión, como si alguien le hubiera sorprendido cometiendo una mala acción.

Quedó inquieto y asombrado: «No tiene más remedio que haber alguna razón para que yo me preocupe así, de buenas a primeras... por un simple recuerdo...» Y se detuvo a mitad del pensamiento.

Al día siguiente experimentó una irritación todavía más violenta; pero esta vez le parecía que había motivo y que estaba en su perfecto derecho. «¡Habráse visto insolencia!» Se trataba de un cuarto encuentro con el «señor de la gasa negra», que de nuevo había aparecido como surgido de la tierra.

Acababa Velcháninov de coger al vuelo en la calle al consejero de Estado tan influyente que desde hacía tiempo perseguía. Este funcionario, que él conocía superficialmente y que podía serle útil en su asunto, había hecho manifiestamente todo lo posible para evitar su encuentro; pero Velcháninov, encantado de tenerlo al fin a su disposición, andaba a su lado, sondeándole con la mirada, derrochando tesoros de habilidad para sacar un tema de conversación que permitiese arrancarle la palabra tan deseada; pero el muy zorro estaba alerta, y respondía bromeando, o callaba. Y, de pronto, en este momento difícil y decisivo, la mirada de Velcháninov fue a tropezar en la acera de enfrente con el hombre de la gasa negra.

Estaba parado, mirándoles fijamente. «Los seguía, era indudable. E indudable también que se burlaba de ellos.»

—¡El diablo se lo lleve! —exclamó, furioso, Velcháninov, despidiéndose acto seguido del alto funcionario, y atribuyendo todo el fracaso de sus gestiones a la súbita aparición del «insolente»—. ¡El diablo se lo lleve! ¡Juraría que me espía! No hay duda, me sigue. Le han pagado para ello, y... y... Conque se ríe de mí, ¿eh? ¡Pues ya lo veremos...! ¡Si llevase un bastón...! ¡Voy a comprar un bastón! ¡No puedo tolerar que esto continúe...! ¿Quién será ese individuo? Es preciso que averigüe quién es.

A los tres días de aquel cuarto encuentro, se encontraba Velcháninov en el restaurante, fuera de sí y como abatido. Por mucho que le hiriera el orgullo, era preciso confesarse la verdad. Sí, en resumidas cuentas y bien pensado, tenía que reconocer que su mal humor y la extraña angustia que le ahogaba desde hacía quince días, no tenían otra causa que el hombre de luto, ese «tipo ridículo».

«Es cierto que estoy hipocondríaco; es cierto que tengo la manía de hacer de una mosca un elefante; pero, por imaginario que sea todo esto, ¿es acaso menos penoso? Si un pillo semejante puede permitirse el trastornar así a un hombre, entonces... entonces...»

Esta vez, en efecto, al quinto encuentro, que había tenido lugar aquel mismo día, y que acabó de poner fuera de sí a Velcháninov, el elefante era poco más de una mosca.

El personaje en cuestión había cruzado esta vez sin mirar a Velcháninov ni hacer ademán de conocerle. Andaba muy de prisa, con los ojos bajos, y parecía muy deseoso de pasar inadvertido. Velcháninov se había dirigido a él, gritándole a voz en cuello:

—¡Eh, oiga usted, el de la gasa negra! ¿Por qué huye usted ahora? ¡Alto, deténgase usted! ¿Quién es usted?

La pregunta y toda esta interpelación carecían de sentido; pero hasta después de haber gritado no se dio cuenta Velcháninov. El otro, al oírse interpelar, se había vuelto, deteniéndose un instante, titubeando, sonriendo como si quisiera decir o hacer algo. Al fin, después de una corta indecisión, se había alejado bruscamente, sin mirar hacia atrás, dejando a Velcháninov suspenso y estupefacto.

«¿Si seré yo quien le persigo, pensó, y no él...?»

Después de comer se dirigió a casa del alto funcionario. No estaba en ella; le respondieron que «no había vuelto desde por la mañana, y que no volvería, sin duda, antes de las tres o las cuatro de la madrugada, pues estaba en la ciudad, en casa de un amigo, que celebraba su santo». Velcháninov se sintió «ofendido», hasta el punto de que su primer impulso fue correr a casa del amigo que celebraba su santo. Pero en el camino reflexionó sobre las posibles consecuencias de este paso, y despidiendo el coche se dirigió paseando hacia su casa. Comprendía que necesitaba caminar. Le hacía falta una buena noche de sueño para calmar los nervios; y para dormir tenía que cansarse.

Hasta las diez y media no llegó a su casa. La distancia era grande y se sentía rendido.

El piso que Velcháninov tenía alquilado desde el mes de marzo, después de un trabajo ímprobo para encontrarlo —aunque luego dijera a la gente, en disculpa de su modestia, que «como estaba de paso y no vivía en Petersburgo más que accidentalmente... a causa de ese condenado pleito»— el piso, de todos modos, distaba de ser tan incómodo y miserable como él se complacía en asegurar. La entrada, hay que reconocer que era un tanto sombría y quizá hasta un poco sucia. Pero el departamento, situado en el segundo piso, se componía de dos habitaciones muy claras, muy altas de techo y separadas por un pasillo oscuro. Una de estas dos habitaciones tenía vistas al patio; la otra daba a la calle. Contiguo a la primera había un gabinete, que podía servir de alcoba, pero que Velcháninov empleaba para libros y papeles, habiendo instalado la alcoba en la segunda y hecho cama del diván. El mobiliario de estas dos habitaciones ofrecía a la vista un cierto estilo, aunque en realidad se encontraba bastante en decadencia. Se encontraban esparcidos algunos objetos de valor, vestigios de tiempos mejores: *bibelots* de bronce, porcelanas, alfombras de Bukhara legítimas, dos cuadros de bastante buena factura... Todo ello en gran desorden, bajo una capa de polvo, acumulado desde la marcha de Pelágeya, la muchacha que servía a Velcháninov, y que, de repente, le había dejado plantado para volverse a Novgorod a casa de sus padres.

Cuando pensaba en lo raro de una muchacha colocada así en casa de un soltero –que por nada del mundo hubiera consentido en desmentir su condición de caballero–, un rubor subía a las mejillas de Velcháninov. Por otra parte, Pelágeya no le había dado más que motivos de satisfacción. Había entrado a su servicio desde que alquiló la casa, es decir, en la primavera. Acababa de salir de casa de una cabaretera que se iba a vivir al extranjero. Era muy trabajadora, y pronto puso todo en orden. Cuando se fue, Velcháninov no quiso volver a tomar criada. «No valía la pena, por tan poco tiempo…» Además, detestaba esa plaga de la servidumbre. Quedó, pues, decidido que Mavra, la hermana de la portera, a la que siempre que salía dejaba la llave de la puerta, subiría todas las mañanas a hacer la limpieza. En realidad, Mavra no hacía nada; cobraba su sueldo y, probablemente, robaba. Pero todo le era ya indiferente, y hasta se alegraba de que no hubiese nadie en la casa.

No obstante, sus nervios se rebelaban a veces, en las horas de irritación, contra toda aquella «porquería» que le rodeaba, y con frecuencia, viniendo de la calle, experimentaba al entrar en su cuarto una sensación de repugnancia.

Aquella noche, Velcháninov apenas se tomó el trabajo de desnudarse. Se echó en la cama, firmemente resuelto a no pensar en nada y, costara lo que costara, a dormirse al «instante». Cosa extraña, apenas había dejado caer la cabeza sobre la almohada cuando el sueño se apoderó de él. Un mes haría que no tenía esa suerte.

Tres horas largas durmió así, tres horas llenas de esas pesadillas que asaltan en las noches de fiebre. Soñó que había cometido un crimen, un crimen que él negaba y del cual le acusaban, de común acuerdo, gentes que acudían de todas partes. Ya se había reunido una muchedumbre enorme y, sin embargo, seguía entrando gente por la puerta, abierta de par en par. Luego, toda su atención se concentraba en un hombre extrañísimo, que él había conocido mucho en otro tiempo, que había muerto y ahora se presentaba súbitamente a él. Lo peor es que Velcháninov no sabía quién era aquel hombre. Había olvidado su nombre y no podía dar con él. Todo lo que sabía es que en otro tiempo le había querido mucho. Todos los que estaban allí esperaban de aquel hombre la palabra decisiva, una acusación rotunda contra Velcháninov, o su descargo completo. Pero el hombre continuaba sentado junto a la mesa, inmóvil, obstinadamente mudo.

El ruido no cesaba, la irritación general crecía. De pronto, Velcháninov, exasperado por el silencio del hombre, le pegó un puñetazo. Inmediatamente sintió un extraño alivio. Su corazón, oprimido por el dolor y la angustia, tornó a latir reposadamente. Una especie de rabia le invadía; pegó por segunda vez, luego por tercera, luego, como embriagado por el furor y el miedo, en un arrebato que rayaba en delirio, continuó pegando sin descanso, apaciguándose a compás de los golpes. Quería acabar con todo aquello. De pronto lanzaron todos un grito de espanto y se precipitaron en tumulto hacía la puerta. En el mismo instante se oyeron tres violentos campanillazos, tan fuertes, que parecía como si quisieran arrancar la campanilla.

Velcháninov se despertó, abrió los ojos, saltó de la cama, y corrió hacia la puerta. Estaba seguro de que los campanillazos eran reales y no soñados, de que había alguien que quería entrar. «¡Muy raro sería que un ruido tan claro, tan preciso, no fuese más que un sueño!»

Con gran sorpresa suya, los campanillazos habían sido un sueño. Abrió la puerta, salió al descansillo, buscó con los ojos en la escalera... Nadie. El cordón colgaba inmóvil. Sorprendido, pero satisfecho, volvió a su cuarto. Encendió una bujía y recordó entonces que la puerta no estaba más que cerrada, sin echar la llave ni el cerrojo. Ya más de una vez le había ocurrido este olvido, sin darle la menor importancia. Pelágueya se lo había hecho notar en varias ocasiones. Volvió al pasillo, abrió de nuevo la puerta, miró la escalera y cerró otra vez, corriendo el cerrojo, pero sin tocar la llave. En este momento el reloj dio las dos y media. Había dormido tres horas.

De tal modo le había enervado su sueño, que no quiso volver a acostarse en seguida y prefirió pasearse una media hora por el cuarto. «El tiempo de fumar un cigarro.» Se vistió someramente, y acercándose a la ventana descorrió la gruesa cortina de damasco y luego el visillo blanco.

Ya la aurora iluminaba la calle. Las claras noches estivales de Petersburgo siempre habían quebrantado intensamente sus nervios. En los últimos tiempos se habían hecho tan frecuentes sus insomnios que, desde hacía dos semanas, lucían en las ventanas gruesas cortinas de damasco, para defenderle de la luz exterior.

Dejando entrar la aurora, y olvidando sobre la mesa la bujía encendida, se puso a pasear de arriba abajo, embargado por una punzante sensación de angustia. La impresión que le había dejado el sueño persistía. Continuaba experimentando un dolor profundo ante la idea de haber podido levantar la mano contra aquel hombre.

«Pero ¡si ese hombre no existe, ni ha existido nunca! ¡Si toda esta historia que me acongoja no es más que un sueño!»

Resueltamente, como si sobre este punto se concentrasen todas sus inquietudes, se puso a pensar que estaba enfermo, que no cabía duda de que era un «hombre enfermo».

Siempre le había sido penoso reconocer que envejecía o que su salud era endeble, y en sus horas negras ponía verdadero encarnizamiento en exagerarse uno u otro de estos males, adrede, para burlarse de sí mismo.

—¡Es la vejez! Sí, envejezco atrozmente —murmuró, paseando de arriba abajo—. Pierdo la memoria, tengo visiones, pesadillas; oigo campanillazos... ¡Al diablo! Sé por experiencia que estas pesadillas son, en mí, señal de fiebre... Apostaría que toda esa «historia» de la gasa negra no es tampoco otra cosa que un sueño. Decididamente, tenía razón ayer: soy yo, yo, el que le persigo, y no él a mí. He llegado a imaginarme un monstruo; y a sentir miedo de él, y a meterme bajo la mesa para ponerme a salvo. ¿A salvo de qué?... Además, ¿por qué le llamo mamarracho y hasta canalla? A lo mejor es una persona muy decente. Cierto que su aspecto no es muy agradable; pero tampoco tiene nada de particular. Y va vestido como todo el mundo. Si no fuera por la mirada... ¡Y vuelta a ocuparme de él! ¿Qué me importa a mí su mirada? ¿Es que no voy a poder vivir sin pensar en ese... en ese...?

Entre todos estos pensamientos que se atropellaban en su cabeza hubo uno que se abrió paso imperiosamente y que le fue muy penoso: la convicción de que el hombre de la gasa negra había sido en otro tiempo de sus íntimos amigos, y que ahora, cuando le encontraba, este hombre se burlaba de él porque sabía un gran secreto de su pasado y le veía ahora en una posición tan humillante.

Se dirigió maquinalmente a la ventana para abrirla y respirar el aire fresco de la madrugada, cuando... cuando, bruscamente, se estremeció de pies a cabeza, como si algo prodigioso, inaudito, tuviese lugar ante sus ojos.

No llegó a abrir la ventana; vivamente se echó a un lado, escondiéndose todo lo posible. Justamente enfrente de la casa, sobre la acera desierta, acababa de divisar al hombre de la gasa negra. Estaba en pie, con la cabeza levantada hacia la ventana. Seguramente no le había visto; miraba la casa atentamente, como si buscase algo. Pareció reflexionar, levantó la mano, se tocó la frente con un dedo. Al fin se decidió: echando una mirada rápida a su alrededor, de puntillas, con pasitos cortos, atravesó la calle muy de prisa, dirigiéndose a la puerta de servicio, que en verano no solía cerrarse antes de las tres de la mañana. «Viene a casa», pensó Velcháninov, y lo más de prisa que pudo, caminando también de puntillas, atravesó el pasillo, corrió hacia la puerta, y... se detuvo ante ella, inmovilizado por la expectación, con la mano trémula sobre el cerrojo y toda su atención fija en el ruido de los pasos en la escalera.

Tan fuerte le latía el corazón, que temió no oír subir al desconocido. No oía nada, pero lo sentía todo con una lucidez centuplicada. Era como si el sueño de antes se hubiese fundido con la realidad.

Velcháninov era valiente por naturaleza. A veces se había complacido en llevar hasta la afectación el desprecio al peligro, aun cuando nadie le viese, solamente por admirarse a sí mismo. Pero hoy era muy distinto. El hipocondríaco achacoso de hacía un instante se había transfigurado en otro hombre. Una risa nerviosa, callada, le sacudía el pecho. A través de la puerta cerrada, adivinaba cada movimiento del desconocido.

«¡Ah, ahora entra, sube, mira a su alrededor; escucha en la escalera; contiene la respiración; camina a paso de lobo!... ¡Ah! Coge el pomo de la puerta, tira de él, trata de abrir. Cree que no está cerrada. Entonces, ¿sabrá que a veces me olvido de cerrar?... Otra vez tira... ¿Se figura que la cerradura va a ceder, sin más ni más?... Lástima tener que irse, ¿verdad?... Tener que volverse con las manos en la cabeza, ¿eh?»

Y, en efecto, todo debía de haber pasado como adivinaba Velcháninov. Alguien, efectivamente, estaba allí, detrás de la puerta, tirando con cautela de ella, probando con mucho cuidado la cerradura, sin duda con algún propósito.

Velcháninov estaba decidido a saber la solución del enigma; esperaba el momento con una especie de impaciencia; ardía en deseos de descorrer bruscamente el cerrojo, de abrir la puerta de par en par, de encontrarse cara a cara con su espantajo, y de decirle dulcemente: «Pero, ¿qué hacía usted ahí, amigo mío?».

Y eso es lo que sucedió. Apenas hubo escogido su momento —el que se le antojó más propicio—, descorrió bruscamente el cerrojo, abrió la puerta de par en par, y estuvo en un tris de darse de narices con el «señor de la gasa negra».

III

PÁVEL PÁVLOVICH TRUSOTSKII

El otro quedó inmóvil, mudo, como clavado en el sitio. Estuvieron así, uno frente al otro, en el umbral de la puerta, sin hacer el menor movimiento, mirándose a los ojos. Esto duró unos segundos. De pronto, Velcháninov reconoció al visitante.

En el mismo momento el visitante se dio cuenta de que Velcháninov le había reconocido. Sus ojos se iluminaron y todo su rostro se dilató en la sonrisa más afable que puede imaginarse.

–¿Es a Aléksieyi Ivánovich a quien tengo el gusto de hablar? –dijo con voz suave, de una suavidad casi cómica, dadas las circunstancias.

–¿Y usted, no es usted Pável Pávlovich Trusotskii? –exclamó Velcháninov, con el gesto de un hombre que adivina.

–Nos conocimos hace nueve años, en T..., y hasta diré, si usted me lo permite, que fuimos excelentes amigos.

–Sí, sin duda... es muy posible... Pero, en fin, son las tres de la mañana, y lleva usted diez minutos averiguando si estaba cerrada esta puerta.

–¡Las tres! –exclamó el otro, sacando el reloj, muy sorprendido–. ¡Es cierto; las tres! Usted perdone, Aléksieyi Ivánovich. Hubiera debido fijarme antes de venir. Crea usted que me siento confuso. Me voy, me voy; otra vez me explicaré, ahora sería una inconveniencia...

—¡No, de ningún modo! Si tiene usted algo que decirme, cuanto antes mejor —interrumpió Velcháninov—. Tenga usted la bondad de pasar. Por aquí, a mi cuarto. ¿No era eso lo que usted deseaba? Supongo que no habrá venido usted únicamente para examinar la cerradura...

Se sentía desconcertado, amedrentado, sin dominio ya de sí mismo, y avergonzado de esta anomalía. Al fin y al cabo, ¿qué había de misterioso e inquietante en toda la aventura? ¡Tanta emoción por haber visto surgir la estúpida fisonomía de un Pável Pávlovich!... Sin embargo, en el fondo no encontraba la cosa tan clara. Presentía en ella, confusamente, un no sé qué que le intimidaba.

Ofreció una butaca al visitante, se sentó bruscamente sobre la cama, a un paso de la butaca, e inclinado hacia adelante, con las manos apoyadas en las rodillas aguardó que el otro hablase. Mientras, le contemplaba ávidamente, haciendo esfuerzos para recordar.

Cosa extraña, el otro callaba, pareciendo no comprender que «era preciso» que se explicase inmediatamente. Antes bien, miraba a Velcháninov como esperando que éste hablase. Quizá, simplemente, tenía miedo, y se sentía molesto, como un ratón cogido en la ratonera. Pero Velcháninov estalló:

—Vamos a ver, ¿qué es lo que se le ofrece a usted? ¡Supongo que no será usted un fantasma ni un sueño! ¿Es que ha venido usted aquí a jugar a los muertos? ¡Tiene usted que explicarse, padrecito![1]

El visitante se agitó en la butaca, sonrió, y comenzó tímidamente:

---

1. *Bátuchka*, locución familiar que, no teniendo equivalencia exacta en castellano, hemos traducido literalmente.

—Me parece que lo que más le asombra a usted es la hora a que he venido y... las circunstancias tan particulares en que lo he hecho... Cuando pienso en todo lo ocurrido hace tiempo, y en la manera tan extraña en que nos separamos... sí, es sumamente raro... Por otra parte, yo no tenía la menor intención de entrar, y si lo he hecho, ha sido pura casualidad...

—¿Cómo casualidad? ¡Si le he visto a usted desde la ventana atravesar de puntillas y con mucho tiento la calle!

—¡Ah!, ¿me ha visto usted? En ese caso, le juro a usted que está más enterado que yo. Pero le estoy impacientando... Mire usted, ésta es la verdad: hace tres semanas que estoy en Petersburgo, por asuntos particulares... Sí, yo soy Pável Pávlovich Trusotskii; no se equivocó usted al reconocerme. He venido a ver si consigo que me trasladen a otra provincia, con aumento de sueldo... No, no es eso, exactamente... En fin, lo esencial, sabe usted, es que llevo aquí tres semanas y que yo mismo doy largas a la cuestión... sí, la cuestión de mi permuta... y que si esto se arregla... pues bien, tanto peor, olvidaré que está arreglado y, dada mi situación, seguiré sin poder irme de este Petersburgo, donde voy de un lado a otro como un alma en pena, como si mi vida no tuviese ya objeto, y como si, dada mi situación, me alegrase de no tenerlo...

—Pero, en fin, ¿qué le pasa a usted? —interrumpió Velcháninov.

El visitante levantó los ojos hacia él, cogió su sombrero, y, con una dignidad majestuosa, mostró la gasa negra.

Velcháninov contempló con ojos atónitos la gasa, y luego el rostro de su interlocutor. De pronto, sus mejillas se pusieron escarlata y una terrible confusión se apoderó de él.

—¿Cómo? ¿Natalia Vasílievna?...

—¡Sí, Natalia Vasílievna! En el mes de marzo pasado... Una tisis galopante, en dos o tres meses... ¡Y yo he quedado..., ya ve usted cómo!

Y diciendo estas palabras, el visitante, con un gran ademán de tristeza, abrió en cruz los brazos, con el sombrero de la gasa negra en la mano derecha, y la cabeza calva caída sobre el pecho, actitud en que se mantuvo diez segundos, poco más o menos.

Este ademán y este gesto devolvieron súbitamente la calma a Velcháninov. Una sonrisita irónica, casi agresiva, asomó a sus labios; pero se borró en seguida. La noticia de la muerte de aquella mujer, que conociera tanto tiempo atrás, le producía una impresión singular y muy honda.

—¿Es posible? —murmuró—. ¿Y por qué no ha venido usted a mí franca y abiertamente?

—Gracias, gracias por su afecto; lo veo y lo agradezco infinito... Aunque...

—¿Aunque?...

—Aunque no nos hayamos visto desde hace tantos años, ha demostrado usted en seguida un interés tan sincero en mi desgracia, en mí mismo, que crea usted se lo agradezco en el alma. Es todo lo que quería decir. Veo que no me he equivocado en mis amistades, puesto que puedo aquí, en Petersburgo, encontrar a mis amigos más queridos: Stepán Mijaílovich Bagáutov, sin ir más lejos; pero la verdad es, Aléksieyi Ivánovich, que desde nuestras primeras relaciones, y permítame usted que lo recuerde —ya que tengo la memoria fiel—, desde el comienzo de nuestra ya vieja amistad, han transcurrido nueve años, sin que volviese usted a vernos. Ni siquiera una carta...

Se hubiera dicho que cantaba un aria aprendida, sin levantar los ojos del suelo, pero observándolo todo.

Entre tanto, Velcháninov se había rehecho, dueño otra vez de sí mismo. Escuchaba y miraba a Pável Pávlovich con una sensación extraña, cuya intensidad iba en aumento. De pronto, cuando terminó de hablar, las ideas más extravagantes e imprevistas se agolparon en su cabeza.

—Pero ¿cómo es posible que yo no le haya reconocido hasta este momento? —exclamó—. Nos hemos encontrado cinco veces en la calle.

—En efecto, lo recuerdo; no podía dar dos pasos sin encontrarle a usted, y dos o tres veces, por lo menos...

—Perdón; el que no podía dar dos pasos sin encontrarle a usted era yo.

Y Velcháninov se levantó, rompiendo súbitamente en una carcajada violenta, inesperada. Pável Pávlovich quedó suspenso un instante, le miró atentamente y prosiguió:

—El no reconocerme usted puede ser debido: primero, a falta de memoria, y luego, a la viruela, que me ha desfigurado bastante.

—¿La viruela? Sí, es verdad. Pero, ¿cómo...?

—¿Que cómo la he pescado? Pues pescándola, Aléksieyi Ivánovich, pescándola.

—¡Qué raro! Pero prosiga usted, amigo mío, prosiga usted.

—Pues bien, aunque ya le hubiese encontrado...

—¡Un momento! ¿Por qué ha empleado usted hace un instante la palabra «pescar»...? Pero no importa; realmente no vale la pena... Continúe usted; adelante...

Se sentía cada vez de mejor humor. La opresión que le ahogaba había desaparecido por completo. Caminaba de arriba abajo por el cuarto, a grandes pasos.

—Sí, desde que llegué a Petersburgo que he pensado en venir a verle; pero, se lo repito, me encuentro ahora en un estado tal de espíritu... Me siento tan trastornado desde el mes de marzo...

—¿Trastornado desde el mes de marzo...? ¡Ah, sí, olvidaba! Perdón... ¿No fuma usted?

—Usted sabe que en vida de Natalia Vasílievna...

—¡Ah, sí, recuerdo! Pero, ¿desde el mes de marzo...?

–Un pitillo, si acaso; uno solo...

–Aquí tiene usted; enciéndalo y continúe, continúe. Es sumamente...

Y Velchâninov encendió un puro, y fue a sentarse de nuevo sobre la cama. Pável Pávlovich le interrumpió:

–Pero ¿y usted, no se encuentra también un poco agitado? ¿No estará usted enfermo?

–¡Bah, dejemos en paz mi salud! –exclamó Velchâninov malhumorado–. ¡Continúe usted!

El visitante, a su vez, al ver la agitación de Velchâninov, se sintió más seguro y dueño de sí mismo.

–¿Qué quiere usted que añada? –dijo–. Figúrese usted, ante todo, Aléksieyi Ivánovich, a un hombre muerto, positivamente muerto; a un hombre que, al cabo de veinte años de matrimonio, cambia de vida, se pone a vagar por las calles polvorientas, sin objeto, como si caminase por la estepa, casi inconsciente, con una inconsciencia que todavía le procura una cierta calma. Sí, a veces tropiezo con algún conocido, y hasta con algún buen amigo, y hago como si no le viese, para no tener que hablar con él en este estado de inconsciencia. En otros momentos por el contrario, se acuerda uno de todo con tal intensidad, se experimenta una necesidad tan imperiosa de ver a algún testigo de ese pasado desaparecido para siempre; siente uno latir de tal modo su corazón, que, sea de día o de noche, no tiene uno más remedio que correr a echarse en brazos de un amigo, aunque para ello sea menester despertarle a las cuatro de la mañana. Es posible que haya escogido mal la hora, pero no me he equivocado en cuanto al amigo, pues ahora me siento fortalecido y consolado. Respecto a la hora, le aseguro a usted que creía que no eran más de las doce. Bebe uno su dolor, y se siente, en cierto modo, embriagado. Y entonces, ya no es dolor, es como una nueva naturaleza que siento latir en mí...

—¡Cómo se expresa usted! —dijo con voz sorda Velcháninov, otra vez sombrío.

—Sí, tengo una manera un tanto extraña de expresarme...

—Y... ¿no habla usted en broma?

—¿En broma? —exclamó Pável Pávlovich, con un acento
de ansiedad y de tristeza—. ¡En broma! En el momento en que
le confieso a usted...

—¡Basta, basta! No prosiga usted, se lo ruego...

Y levantándose, volvió Velcháninov a pasear de arriba
abajo por el cuarto.

Transcurrieron así cinco minutos. El visitante hizo
ademán de levantarse, pero Velcháninov le gritó:

—¡No, no! Continúe usted sentado; no se vaya todavía.

Y el otro, dócilmente, se dejó caer de nuevo en la butaca.

—¡Dios mío, qué cambiado está usted! —prosiguió
Velcháninov, plantándose ante él, y como si hasta entonces
no se hubiera fijado en ello—. ¡Atrozmente cambiado! ¡Una
enormidad! ¡Es usted otro hombre!

—No tiene nada de extraño. ¡Nueve años!

—No, no, no tiene que ver la edad. No es el físico de usted lo que ha cambiado, sino todo usted, que es ahora otro
hombre.

—Sí, es posible. ¡Nueve años!

—O ¿habrá sido simplemente desde el mes de marzo?

—Bien, bien; es usted aficionado a las bromas, ¿eh? —repuso Pável Pávlovich con una sonrisa maliciosa—. Pero, veamos, ya que usted se empeña: ¿qué cambios nota usted?

—Pues bien, el siguiente: el Pável Pávlovich de antes era
un hombre serio, listo y discreto; el de ahora es todo un *vaurien*.[2]

---

2. En francés, en el texto. *Vaurien*: «pillo», «tuno», «fresco», etc.

Velcháninov había llegado a ese estado de enervamiento en que los hombres más dueños de sí mismos se dejan llevar a veces por las palabras más allá de su intención.

—¡*Vaurien*! ¿Usted encuentra...? ¿Y que ya no soy listo? —interrogó complacientemente Pável Pávlovich.

—¡En absoluto! Ahora, si acaso, se pasa usted de listo.

«Estoy insolente, pensaba Velcháninov; pero este canalla es todavía más insolente que yo... En suma, ¿qué es lo que quiere?»

—¡Ah, mi muy querido Aléksieyi Ivánovich! —exclamó de pronto el visitante, agitándose en su butaca—. ¿Qué importa? ¡Ya no nos encontramos en la buena sociedad, en el gran mundo! Somos, simplemente, dos antiguos y buenos amigos, que en la intimidad y con la mayor sinceridad añoran el vínculo inestimable de una amistad en la que la pobre difunta venía a constituir el eslabón más precioso...

Y como transportado por el impulso de sus sentimientos, dejó caer de nuevo la cabeza, tapándose la cara con el sombrero. Velcháninov le miraba, con una mezcla de inquietud y repulsión.

«¡Si será todo una farsa!, pensaba. Pero ¡no, no, no es posible! No parece borracho... Aunque, después de todo, puede que lo esté; tiene la cara muy colorada... Por otra parte, borracho o no, ¿qué más da...? En fin, ¿qué querrá de mí este sinvergüenza?»

—¿Se acuerda usted? —exclamó Pável Pávlovich, apartando poco a poco el sombrero, y cada vez más exaltado por sus recuerdos—. ¿Se acuerda usted de nuestras excursiones al campo, de nuestras veladas, bailes y reuniones en casa de Su Excelencia el encantador Semió Semionovich? ¿Y nuestras lecturas a tres? ¿Y la primera vez que nos vimos, aquella mañana que vino usted a casa para consultarme sobre su asunto? ¿No recuerda usted que empezaba a perder la paciencia, cuando entró Natalia Vasílievna y que a los diez minutos era usted ya nuestro mejor amigo, y cómo continuó usted siéndolo durante todo un año? Completamente, como en *La provinciana*, la comedia del señor Turguéniev...

Velcháninov paseaba despacio, con los ojos fijos en tierra, escuchando con impaciencia, con repugnancia, pero muy atentamente.

—Jamás se me ha ocurrido pensar en *La provinciana* —interrumpió—, y jamás se le habría ocurrido a usted en aquellos tiempos hablar con esa voz de falsete, y en un estilo que no es el suyo. ¿A qué viene todo esto?

—Cierto, cierto; en otros tiempos, yo callaba más y hablaba menos —replicó vivamente Pável Pávlovich—. Entonces, sabe usted, yo prefería escuchar, cuando la difunta hablaba. Usted recordará con qué gracia, con qué donaire hablaba ella... Por lo que hace a *La provinciana*, y en particular a Stupéndiev, tiene usted razón; fuimos nosotros, la pobre difunta y yo, quienes después de irse usted, al recordarle con tanta frecuencia, caímos en la semejanza... Y, en efecto, la analogía era sorprendente. Sobre todo en lo que se refiere a Stupéndiev...

—¡Al diablo el tal Stupéndiev! —exclamó Velcháninov, golpeando el suelo con el pie, irritándose ante la mención de este nombre, que despertaba en su espíritu un recuerdo inquietante.

—¿Stupéndiev? ¡Si es el nombre del marido de *La provinciana*! —continuó Pável Pávlovich con su voz más dulce—. Pero todo esto se relaciona ya con la otra serie de mis recuerdos, después de irse usted, cuando Stepán Mijaílovich Bagáutov nos favorecía con su amistad, exactamente lo mismo que usted, pero durante cinco años consecutivos...

—¿Bagáutov? ¿Qué Bagáutov? —preguntó Velcháninov, deteniéndose en seco ante Pável Pávlovich.

—Pues Bagáutov, Stepán Mijaílovich Bagáutov, que nos otorgó su amistad un año justo después de usted... y... exactamente lo mismo que usted.

—¡Ah, sí, sí, lo conozco...! —repuso Velcháninov—. ¡Ya lo creo! ¡Bagáutov...! ¿No tenía un destino oficial en la provincia?

—Justamente, un destino en el Gobierno civil. Era de Petersburgo... joven, elegante... ¡de la mejor sociedad! —exclamó en un verdadero transporte de entusiasmo Pável Pávlovich.

—¡Sí, sí, ya lo creo! ¡Dónde tendría yo la cabeza! ¿Así que él también...?

—También, sí señor, también —repitió Pável Pávlovich con la misma vehemencia, cogiendo al vuelo las palabras imprudentes de su interlocutor—; ¡también él! Fue entonces cuando representamos *La provinciana* en un teatrito de aficionados, en casa de Su Excelencia el amabilísimo Semió Semionovich. Stepán Mijaílovich hacía el *conde,* la difunta hacía la *provinciana,* y yo... yo iba a hacer el papel del marido; pero por indicación de la difunta, que se empeñó en que lo hacía muy mal, me lo quitaron.

—Pero ¡qué Stupéndiev tan absurdo está usted haciendo...! Además, usted es Pável Pávlovich Trusotskii, y no Stupéndiev —interrumpió Velcháninov, sin poder contenerse más tiempo y temblando casi de ira—. Y dígame usted, si no le molesta: Bagáutov está aquí, en Petersburgo; yo mismo le he visto esta primavera: ¿por qué no ha ido usted a su casa?

—Pero ¡si todos los días, desde hace tres semanas, voy a su casa! Claro que no me reciben. No reciben a nadie; está enfermo. Figúrese usted que he sabido, de muy buena tinta, que realmente está gravísimo. ¡Ése sí que es un amigo! ¡Un amigo de cinco años! ¡Ay, Aléksieyi Ivánovich, ya se lo dije a usted, y lo repito: hay momentos en que desearía uno estar bajo tierra, y otros, por el contrario, en que se querría encontrar a alguno de los que han visto y vivido nuestra vida pasada para llorar en su compañía, sí, sólo para llorar...!

—¡Bueno, basta por hoy, si le parece a usted! —dijo secamente Velcháninov.

—¡Sí, sí, basta y sobra! —contestó Pável Pávlovich, levantándose inmediatamente—. ¡Dios mío, si son las cuatro! ¡Qué egoísta he sido en venir a molestarle!

—Escuche usted: yo, a mi vez, iré a verle, y espero... Vamos a ver, con franqueza: ¿no está usted hoy borracho?

—¿Borracho? En absoluto...

—¿No ha bebido usted antes de venir?

—Tenga usted cuidado, Aléksieyi Ivánovich; está usted con fiebre.

—Mañana, antes de la una, iré a verle.

—Sí —añadió Pável Pávlovich con insistencia—; sí, habla usted como en un delirio. Hace un momento lo noté. Crea usted que lo siento muchísimo... Sin duda mi indiscreción... Sí, me voy. Y usted, Aléksieyi Ivánovich, acuéstese y procure dormir.

—Pero ¡no me ha dicho usted dónde vive! —exclamó Velcháninov, acompañándole hasta la puerta.

—¿No se lo he dicho? ¡En el hotel Pokrov!

—¿Y qué hotel Pokrov es ése?

—Pues está cerca del barrio de Pokrov, en el callejón... ¡Bueno, me he olvidado del nombre del callejón, y del número! Pero, en fin, no tiene pérdida; es al lado mismo de la iglesia.

—Perfectamente; ya buscaré.

—Adiós.

Y salió al descansillo.

—¡Aguarde usted, aguarde! —gritó bruscamente Velcháninov—. ¿No irá usted a escaparse, eh?

—¿Cómo a escaparme? —exclamó el otro, abriendo mucho los ojos y deteniéndose en el tercer escalón.

Por toda respuesta, Velcháninov cerró violentamente la puerta, dio una vuelta a la llave y echó el cerrojo. Luego volvió a su cuarto, y escupió de asco, como si acabase de tocar algo inmundo. Más de cinco minutos estuvo en pie, inmóvil, en el centro de la habitación. Luego, de pronto, sin desnudarse, se echó sobre la cama y quedó dormido al instante. La bujía, olvidada encima de la mesa, acabó de consumirse.

IV

LA MUJER, EL MARIDO Y EL AMANTE

Velcháninov durmió con sueño pesado, y no se despertó hasta las nueve y media. Se levantó enseguida, se sentó sobre la cama, y se puso a pensar en la muerte de «aquella mujer».

La impresión que había sufrido ante la noticia de aquella muerte tenía algo de confuso y doloroso. Había dominado su agitación delante de Pável Pávlovich; pero ahora, que estaba solo, todo aquel pasado de hacía nueve años revivió súbitamente ante él con una claridad perfecta.

Había estado enamorado de aquella mujer, Natalia Vasílievna, la esposa de «ese Trusotskii»; había sido su amante cuando, con motivo de una herencia, se vio obligado a pasar todo un año en T..., aunque la liquidación de la testamentaría no exigiese, realmente, una estancia tan prolongada. La verdadera causa fue aquel «amorío». De tal modo le había absorbido aquella pasión, que vivió todo aquel tiempo como esclavizado por Natalia Vasílievna, y sin vacilar habría cometido las mayores locuras e insensateces por satisfacer su menor capricho. Jamás, ni antes, ni después, le había ocurrido aventura semejante. A fin de año, cuando la separación fue inevitable, y por más que la creyese de corta duración Velcháninov, al acercarse la fecha fatal, se había desesperado. A tal punto perdió la cabeza, que llegó a proponer a Natalia Vasílievna huir con ella y marcharse a vivir al extranjero. Se necesitó toda la resistencia tenaz y burlona de aquella mujer, que, al principio, por tedio o en broma, parecía encontrar atractivo el proyecto, para obligarle a irse solo.

No habían pasado dos meses, cuando Velcháninov, en Petersburgo, se planteaba ya, sin hallar respuesta, el siguiente interrogante: ¿había querido realmente a aquella mujer, o fue víctima de una simple figuración? Y no era, no, por ligereza, ni porque diese comienzo a una nueva pasión. Durante aquellos dos primeros meses que siguieron a su regreso a Petersburgo, se sintió como presa de una especie de atonía que le impedía fijarse en ninguna mujer, a pesar de haber reanudado su vida mundana, y bien sabía él, a pesar de todas las preguntas que pudiera hacerse, que si, por casualidad, volviese a T..., de nuevo caería irremisiblemente bajo el influjo dominador de aquella mujer. Cinco años más tarde seguía tan convencido de ello como el primer día; pero este convencimiento no le ocasionaba más que mal humor, y ya sólo se acordaba de ella con antipatía. Se avergonzaba de aquel año pasado en T... No podía comprender cómo él, Velcháninov, había podido enamorarse tan «ridículamente». Todos los recuerdos de aquella pasión no le inspiraban ya más que repugnancia, enrojecía de vergüenza cada vez que pensaba en ello. Sin embargo, poco a poco, recobró cierto sosiego; trataba de olvidar, y casi lo había conseguido.

¡Y ahora, de pronto, al cabo de nueve años, resucitaba todo aquello a causa de la noticia de la muerte de Natalia Vasílievna!

Sentado sobre la cama, obsesionado por pensamientos sombríos que se atropellaban desordenadamente en su cerebro, no sentía, no veía con claridad más que una cosa: que, a pesar de la sacudida que le había ocasionado la noticia, se sentía completamente tranquilo ante la idea de que aquella mujer había muerto. «¿No tendré para ella ni un recuerdo de cariño?», se preguntó, alarmado.

La verdad es que toda la antipatía que sintiera contra ella en otros tiempos acababa de borrarse, y podía, en aquel momento, juzgarla con imparcialidad. Se había acostumbrado, durante aquellos nueve años de separación, a ver en Natalia Vasílievna el tipo por excelencia de la provinciana, de la señora provinciana de «buena sociedad», y a pensar que quizá fuera él el único que había visto en ella cosas que en realidad no existían. Claro que siempre había tenido la duda de que esta sospecha pudiera ser equivocada, y bien claramente lo veía ahora. Los hechos la contradecían, sin vuelta de hoja. También el tal Bagáutov había estado «liado» con ella, durante varios años, y era bien patente que también él había sido víctima de su «hechizo». Realmente, Bagáutov era un hombre muy distinguido, de la mejor sociedad de Petersburgo, «una perfecta nulidad», como decía Velcháninov, y que, evidentemente, sólo en Petersburgo podía abrirse camino. Pues este hombre había sacrificado Petersburgo, es decir, todo su porvenir, y se había estado cinco años en T..., nada más que por esta mujer. Cierto que acabó por volver a Petersburgo; pero probablemente porque le habían desechado «como a un par de zapatos viejos». ¡Preciso era, por consiguiente, que hubiese en aquella mujer algo extraordinario, el don de cautivar y dominar!

No obstante, a juicio de él, ella carecía de todo lo necesario para cautivar y dominar. «¡No era tan hermosa que digamos, ni mucho menos! ¡Como que más bien era fea!» Cuando Velcháninov la conoció tenía ya veintiocho años. La cara no era bonita; a veces adquiría una expresión agradable, pero los ojos eran francamente feos, de una mirada seca y dura. Además, estaba delgadísima. Su instrucción, muy mediana; espíritu bastante despierto y penetrante, pero estrecho. Sus modales, los propios de una provinciana de mundo. Eso sí, preciso es reconocerlo, un tacto exquisito y un gusto excelente. Sobre todo, se vestía a las mil maravillas. Era de carácter decidido y dominador; imposible entenderse con ella a medias: «todo o nada». Tenía en las cuestiones difíciles una firmeza y energía sorprendentes. De alma generosa y, al mismo tiempo, de una injusticia sin límites. No era posible discutir con ella; para ella, dos y dos no siempre eran cuatro. En modo alguno habría consentido nunca en reconocer sus errores. Las innumerables infidelidades que hacía a su marido no le pesaron jamás sobre la conciencia. Era absolutamente fiel a su amante, pero con tal de que no la molestase. Le gustaba hacerlos rabiar, pero también le gustaba premiarlos. Era apasionada, cruel y sensible.

Detestaba el vicio en los demás, juzgándolo con una implacable severidad, y ella era viciosa y depravada. Habría sido completamente imposible hacerle darse cuenta de su propia depravación. «La ignora con toda sinceridad —pensaba ya Velcháninov en T...–. Es una de esas mujeres nacidas para el adulterio. No hay peligro de que estas mujeres caigan mientras son solteras; aguardan para ello a estar casadas. ¿Qué se le va a hacer? Está en su naturaleza. El marido es el primer amante; pero nunca antes de la boda. ¡No las hay con mayor habilidad para casarse! Claro que el marido es siempre el responsable del primer amante. Y así sucesivamente, con la misma buena fe, siguen, hasta el final, tan persuadidas de que son absolutamente honradas, completamente inocentes.»

Velcháninov estaba convencido de que existen mujeres de ese género, e igualmente convencido de que existe un tipo de maridos correspondiente a este tipo de mujeres, y sin otra razón de ser que esta correspondencia. Según él, la esencia de los maridos de este género consiste en ser, por decirlo así, «eternos maridos» o, mejor dicho, en no ser toda su vida otra cosa que maridos, y sólo maridos. «El hombre de esta especie viene al mundo y crece únicamente para casarse, y apenas casado, se convierte inmediatamente en algo complementario de su mujer, por personal y autónomo que fuera su carácter. El distintivo de los maridos de esta clase es el consabido ornamento. Tan imposible les es no llevarlo como dejar de lucir al sol; y no sólo les está vedado darse cuenta de ello, sino también conocer las leyes de su naturaleza.» Velchaninov creía firmemente en la existencia de estos dos tipos, y Pável Pávlovich Trusotskii representaba, exactamente, a sus ojos uno de ellos. El Pável Pávlovich que acababa de dejarle no era ya, desde luego, el Pável Pávlovich que él conociera en T... Lo había encontrado prodigiosamente cambiado; cosa inevitable y la más natural del mundo, pues el verdadero Trusotskii, el que él había conocido, no podía tener completa realidad sino en vida de su mujer. Lo que ahora quedaba era, simplemente, una parte de ese todo, algo abandonado al azar, algo absurdo e informe. En cuanto a lo que había sido el verdadero Pável Pávlovich, el verdadero Pável Pávlovich, el Pável Pávlovich de T..., he aquí el recuerdo que de él había conservado Velchaninov:

«Para hablar con exactitud, el Pável Pávlovich de T... era marido, y nada más.» Así, por ejemplo, si era al mismo tiempo funcionario, era únicamente por necesidad de desempeñar uno de los cometidos esenciales del papel de marido; él había entrado en la jerarquía burocrática para asegurar a su mujer un puesto en la buena sociedad de T..., lo que no le impedía ser un eficaz funcionario. Tenía entonces treinta y cinco años y una fortuna bastante respetable. No daba pruebas, en su destino, de una extraordinaria capacidad, pero tampoco de una inepcia extraordinaria. Era recibido en la mejor sociedad, y pasaba por hombre distinguido. Todo el mundo en T... tenía un sin fin de atenciones con Natalia Vasílievna; pero ésta no hacía más caso del debido, recibiendo todos los homenajes como cosa natural. Tenía un arte exquisito para recibir, y había aleccionado de tal modo a Pável Pávlovich, que, en cuanto a modales distinguidos, podía éste muy bien parangonarse con los personajes de la localidad. «Es muy posible, pensaba Velcháninov, que tuviera cierto ingenio; pero como a Natalia Vasílievna no le gustaba que hablase mucho, apenas tenía ocasión de lucirlo. Es muy posible también que tuviera sus cualidades y defectos; pero estas cualidades estaban muy escondidas, y los defectos, apenas asomaban la cabeza, eran cortados de raíz.» Por ejemplo, Velcháninov recordaba que Trusotskii tenía cierta inclinación a burlarse del prójimo, cosa que le estaba terminantemente prohibida. También era aficionado a contar anécdotas, y Natalia Vasílievna no le permitía contar más que insignificancias, y eso con muy pocas palabras. Le gustaba salir, ir al casino a beber una copa con los amigos, y pronto esta distracción le fue también prohibida. Y lo maravilloso es que, a pesar de todo ello, no podía decirse que esta mujer tuviera «metido en un puño» a su marido. Natalia Vasílievna guardaba todas las apariencias de una mujer sometida a la autoridad marital, y es posible que hasta estuviese convencida de su sumisión. Acaso Pável Pávlovich amaba a Natalia Vasílievna hasta la obnubilación; pero, dada la manera que había tenido ella de organizar su vida, era imposible saber a qué atenerse.

Durante la estancia en T..., Velcháninov, más de una vez se preguntó si el marido habría notado algo de sus relaciones, y hasta había interrogado seriamente sobre la cuestión a Natalia Vasílievna. Pero ésta, invariablemente, montaba en cólera y respondía que un marido no se entera nunca de esas cosas, ni puede enterarse, ni «tiene por qué meterse en ellas».

Otro detalle curioso: jamás se burlaba de Pável Pávlovich; no lo encontraba ni feo ni ridículo, y seguramente, si alguien se hubiese permitido alguna descortesía con él, ella le habría defendido a capa y espada.

No habiendo tenido descendencia, Natalia Vasílievna tuvo que consagrarse a la vida de sociedad; pero era también muy amante de su hogar. Las distracciones mundanas jamás la absorbieron por completo, y le gustaba ocuparse de la casa. Pável Pávlovich recordaba antes aquellas lecturas en común por la noche, después de cenar. Cierto; Velcháninov leía en voz alta, y también Pável Pávlovich, que, con gran asombro de Velcháninov, no lo hacía nada mal, al contrario. Natalia Vasílievna, mientras, bordaba y escuchaba tranquilamente. Se leían novelas de Dickens, algún que otro artículo de revista, y a veces hasta algo «serio». Natalia Vasílievna tenía en gran estima la cultura de Velcháninov, pero tácitamente, como cosa sobreentendida, de que no había por qué hablar. En general, los libros y la ciencia le tenían sin cuidado, como una cosa útil, pero muy ajena a ella. Pável Pávlovich se esforzaba a veces en convencerla de lo contrario, pero sin resultado.

Aquellas relaciones se rompieron bruscamente, en el momento en que la pasión de Velcháninov, cada día más encendida, le privaba casi de discernimiento. Le despidieron, simplemente, sin el menor miramiento y con tal habilidad, que fue sin darse cuenta de que lo habían desechado «lo mismo que a un par de zapatos viejos».

Mes y medio antes de su marcha había llegado a T... un oficial de Artillería casi recién salido de la Academia. Fue presentado en casa de los Trusotskii, y en lugar de tres fueron ya cuatro. Natalia Vasílievna acogió al mozo con mucha afabilidad, pero tratándole como a un niño. Velcháninov no sospechó nada, ni siquiera el día en que ella le dijo que no tenían más remedio que separarse. Entre las cien razones que adujo Natalia Vasílievna para demostrarle que era imprescindible, en absoluto, su marcha inmediata, había la siguiente: que ella estaba encinta, de modo que era preciso que él desapareciera, aunque sólo fuese por tres o cuatro meses, a fin de que al cabo de los nueve le fuera más difícil a su marido echar la cuenta, si por acaso se le ocurría alguna sospecha. El argumento era demasiado forzado. Velcháninov le suplicó apasionadamente que huyera con él, a París, a América, no importa dónde; pero todo fue inútil. Al fin, se fue solo a Petersburgo, «sin la menor sospecha», creyendo que era cuestión, a lo sumo, de tres meses. De otro modo no hubiera habido razón ni argumento que le obligara a partir. Dos meses más tarde recibía en Petersburgo una carta de Natalia Vasílievna rogándole que no volviese, pues quería a otro hombre. En cuanto al embarazo, se había equivocado.

Esta última explicación sobraba. Ahora veía claro... Recordó al «oficialete». En fin, aquello había terminado para siempre.

Pocos años después supo que Bagáutov había ido a T..., y pasado allí cinco años. Pensó, para explicarse la duración de aquellas relaciones, que Natalia Vasílievna debía de haber envejecido considerablemente y, con los años, ganado en fidelidad.

Más de una hora estuvo sentado sobre la cama. Al fin volvió en sí, llamó a Mavra, pidió el café, que bebió deprisa, se vistió, y a las once en punto se dirigió en busca del hotel Pokrov. Suscitadas por la entrevista con Pável Pávlovich, acababan de ocurrírsele algunas dudas, y quería ponerlas en claro.

Toda la pesadilla de la noche se la explicaba por la casualidad y la embriaguez evidente de Pável Pávlovich —quizá también por otra cosa—; pero lo que, en el fondo, no podía acabar de comprender, es por qué iba ahora a reanudar amistades con el marido de antaño, cuando ya todo había terminado entre ellos.

Parecía como si algo le atrajese, un no sé qué extraño que él no llegaba a discernir, pero que le atraía fuertemente.

V

LIZA

Pável Pávlovich no había pensado, ni mucho menos, en «escaparse», y sabe Dios por qué Velcháninov le había hecho tal pregunta. Probablemente porque había perdido la cabeza.

La prueba es que en cuanto preguntó en una tiendecita de Pokrov, le indicaron el hotel, a dos pasos de la iglesia, en un callejón, como le había dicho Pável Pávlovich.

En el hotel le dijeron que el señor Trusotskii ocupaba un departamento amueblado en casa de María Sisóyerna, en el pabellón, al fondo del patio.

Al subir por la escalera de piedra, estrecha y sucia del pabellón, hasta el segundo piso, oyó unos sollozos. Era un llorar quejumbroso, como de un niño de siete u ocho años; sollozos contenidos, que, de cuando en cuando, no podían refrenarse y estallaban; ruido de pasos, gritos que se trataba de sofocar, sin conseguirlo, y una voz ronca de hombre. Éste se esforzaba, al parecer, en calmar al niño, y hacía todo lo posible para que no se le oyese llorar, pero dando grandes voces y haciendo él mismo más ruido que el niño, que parecía pedir perdón por algo.

Velcháninov se aventuró por un estrecho corredor con dos puertas a cada lado, que le tenían perplejo, no sabiendo a cuál llamar, cuando se encontró con una mujerona gorda y desaliñada, que aparentaba unos cuarenta años, a la que preguntó por Pável Pávlovich.

La mujer le señaló con el dedo la puerta de donde provenían los sollozos. Su cara colorada y reluciente expresaba indignación.

—¡En eso se distrae! —gruñó entre dientes, dirigiéndose hacia la escalera.

Velcháninov iba a llamar a la puerta, cuando, cambiando de idea, abrió y entró.

El cuarto era pequeño, atestado de muebles de pino pintado. En el centro de él estaba Pável Pávlovich, de pie, a medio vestir, sin chaleco ni americana, con la cara descompuesta y muy encarnada. A fuerza de gritos, gestos y quizá también de golpes —por lo menos así le pareció a Velcháninov—, trataba de calmar a una chiquilla de ocho años, pobremente vestida, pero a lo señorita, con un trajecito corto de lanilla negra.

La niña parecía estar en plena crisis nerviosa; sollozaba convulsivamente, se retorcía las manos, levantándolas hacia Pável Pávlovich con ademán suplicante, como si quisiera aplacarlo, enternecerle.

En un abrir y cerrar de ojos cambió la escena. Al ver a Velcháninov, la niña lanzó un grito y corrió a refugiarse en el cuarto de al lado. Pável Pávlovich, súbitamente calmado, se deshizo en una sonrisa exactamente igual a la de la noche anterior, cuando Velcháninov abrió la puerta de improviso.

—¡Aléksieyi Ivánovich! —exclamó, con acento de la más profunda sorpresa—. Pero ¿cómo iba yo a esperar...? Entre usted, se lo ruego. Y siéntese aquí, en el diván... o no, mejor aquí, en la butaca... ¡Me encuentra usted hecho una facha...!

Y se apresuró a ponerse la americana, olvidando el chaleco.

—No, no, nada de ceremonia; siga usted como estaba —dijo Velcháninov, tomando asiento en una silla.

—De ningún modo; no faltaba más... Vamos, ya estoy un poco más presentable. Pero ¿por qué se sienta usted ahí, en ese rincón? No, no, aquí, en el sillón, junto a la mesa... No esperaba...

Y se sentó en una silla de paja, muy cerca de Velcháninov, para verle bien la cara.

—¿Y por qué no me esperaba usted? ¿No le dije anoche expresamente que vendría a esta hora, poco más o menos?

—Sí, pero creí que no vendría usted. Además, esta mañana, cuanto más recordaba lo ocurrido anoche, menos confianza tenía en volver a verle.

Velcháninov echó una ojeada a su alrededor. La habitación estaba en el más completo desorden, la cama deshecha, la ropa esparcida; en la mesa, unos vasos con restos de café, migajas de pan, una botella de champán mediada, con una copa junto a ella. Echó también una mirada hacia el cuarto vecino: no se oía el menor ruido. La niña se había callado y no daba señales de vida.

—¿Es posible? ¿Se dedica usted ahora a eso? —dijo Velcháninov, señalando con el dedo la botella.

—¡Oh! No vaya usted a figurarse que me lo he bebido yo todo... —murmuró Pável Pávlovich confuso.

—¡Vamos, que está usted muy cambiado!

—Sí, una pésima costumbre... Desde entonces ha sido, se lo aseguro... No le miento... No puedo contenerme... Pero esté usted tranquilo, Aléksieyi Ivánovich, que en este momento no estoy borracho, y no diré tantas majaderías como anoche, en su casa... ¡Se lo juro a usted; todo ha sido desde entonces...! ¡Ah! Si alguien me hubiese dicho, hace nada más seis meses, que cambiaría hasta este punto y me hubiese mostrado en un espejo lo que soy ahora, no le habría creído. ¡Qué iba a creerle!

—¿Entonces, anoche estaba usted borracho?

—Sí —confesó a media voz Pável Pávlovich, avergonzado, sin levantar los ojos—. Es decir, completamente borracho ya no lo estaba; pero lo había estado, que viene a ser lo mismo.

Verá usted, es preciso que yo le explique... porque después de la embriaguez me vuelvo malvado. Sí, cuando ha pasado el efecto inmediato del vino, me siento lleno de maldad, como loco, y sufro mucho. Puede que sea la tristeza lo que me hace beber. No tiene nada de extraño que en ese estado diga estupideces o cosas molestas. He debido producirle a usted una impresión muy rara anoche, ¿verdad?

—¿No se acuerda usted ya?

—¿Cómo que si no me acuerdo? ¡Perfectamente!

—Mire usted, Pável Pávlovich, yo también he reflexionado, y debo decirle a usted... Anoche estuve con usted un poco... brusco, un poco impaciente, lo confieso. Hay momentos en que no me siento bien, y la visita de usted tan inesperada, de madrugada...

—¡Cierto, de madrugada, de madrugada! —interrumpió Pável Pávlovich, sacudiendo la cabeza, como si se condenase a sí mismo—. ¿Cómo se me ocurriría...? Pero seguramente que por nada del mundo habría yo entrado en su casa si usted no me hubiese abierto... Me habría marchado, créalo usted... Ocho días antes había ido yo a su casa, Aléksieyi Ivánovich, sin tener el gusto de encontrarle... ¡Es muy posible que no hubiese vuelto! Yo también tengo mi orgullo, Aléksieyi, a pesar de conocer... mi situación. Cada vez que nos hemos encontrado en la calle, me decía a mí mismo: «¡Vaya, no me reconoce!». Son muchos años nueve años, y no me decidía a abordarle a usted. En cuanto a anoche... había olvidado la hora. Y todo ello, culpa de eso (señalando la botella) y de mis sentimientos... Sí, ya sé que es una idiotez; pero ¡qué se le va a hacer...! Y si usted no fuese quien es —ya que, a pesar de todo, y después de mi conducta de anoche, viene usted a verme, en consideración al pasado—, si usted no fuese quien es, habría perdido toda esperanza de reanudar nuestra antigua amistad.

Velcháninov escuchaba con atención. Le parecía que aquel hombre hablaba sinceramente, y hasta con cierta dignidad. Y, sin embargo, no le inspiraba ninguna confianza.

—Diga usted, Pável Pávlovich: usted no vive solo, ¿verdad? ¿Quién es esa niña que estaba aquí cuando entré?

Pável Pávlovich arqueó las cejas con aire de sorpresa; luego, con una mirada franca y leal:

—¿Quién, esa niña? Pero ¡si es Liza! —dijo sonriendo.

—¿Qué Liza? —balbuceó Velcháninov.

Y de pronto, algo se conmovió en él. La impresión fue instantánea. Al entrar y ver a la niña se había quedado un poco sorprendido, pero sin el menor presentimiento.

—Pues nuestra Liza, nuestra hija Liza —insistió Pável Pávlovich, siempre sonriente.

—¿Cómo, la hija de usted? Pero Natalia... La difunta Natalia Vasílievna, ¿tuvo algún hijo? —interrogó Velcháninov con voz casi estrangulada, sorda, pero tranquila.

—Pues claro está... ¡Ah, es verdad! ¿Dónde tenía yo la cabeza? ¡Si es natural que usted no lo sepa! Fue después de la marcha de usted cuando Dios nos favoreció...

Y Pável Pávlovich se agitó en su silla, un tanto emocionado, pero siempre amable.

—No supe nada —dijo Velcháninov, poniéndose muy pálido.

—¡Naturalmente! ¡Naturalmente...! ¿Cómo iba usted a saberlo? Ya, recordará usted que tanto la difunta como yo habíamos perdido toda esperanza... ¡Y de pronto, el Señor se acuerda de nosotros y bendice nuestra unión! Es milagroso, ¿eh? Lo que yo sentí, sólo él lo sabe... Fue un año justo después de la marcha de usted. Es decir, no, un año justo no... Espere usted... Vamos a ver, si no me engaño, usted se fue en octubre, ¿no es eso?, o a principios de noviembre...

—No; salí de T... a mediados de septiembre..., el 12 de septiembre; lo recuerdo perfectamente...

—¿Sí, de verdad? ¿En septiembre? ¿Dónde tendré yo la cabeza? —exclamó Pável Pávlovich, muy sorprendido—. En fin, si es así..., vamos a ver: usted se fue el 12 de septiembre, y Liza nació el 8 de mayo; esto hace... septiembre... octubre... noviembre... diciembre... enero... febrero... marzo... abril... ocho meses, poco más o menos... ¡Y si usted supiera cómo la difunta...!

—Enséñemela usted, hágala venir... —interrumpió Velcháninov con voz entrecortada.

—Como usted quiera; no faltaba más; en seguida... —exclamó vivamente Pável Pávlovich, sin concluir la frase y entrando en el cuarto en que se había refugiado Liza.

Transcurrieron tres o cuatro minutos. Se oían cuchicheos en el otro cuarto, en voz muy queda. Luego, la voz de la niña. «Estará suplicando que la dejen en paz», pensó Velcháninov. Al fin aparecieron los dos.

—Está muy cortada —dijo Pável Pávlovich—; ¡es tan tímida, tan modosita! ¡Todo el retrato de la difunta!

Liza entró, con los ojos ya secos y sin alzarlos del suelo. Su padre la traía cogida de la mano. Era una muchachita esbelta, bien formada y muy bonita.

Al entrar levantó los ojos, muy grandes y muy azules, hacia el extraño, con curiosidad, y le miró atentamente. Luego, casi en seguida, los bajó de nuevo. Había en su mirada esa gravedad que tienen los niños cuando, a solas con un desconocido, se refugian en un rincón, desde el que observan, con desconfianza, al hombre que nunca han visto. Pero quizá también había en aquella mirada algo más que este sentimiento infantil; por lo menos, así le pareció a Velcháninov.

El padre la trajo de la mano hasta él.

—Mira, aquí tienes a un señor que conoció a mamá, y nos quería mucho. No hay que tenerle miedo; anda, dale la mano.

La niña hizo una pequeña inclinación y tendió tímidamente la mano.

—Natalia Vasílievna no quería que saludara haciendo una reverencia, y la enseñó a saludar así, a la inglesa, inclinándose ligeramente y dando la mano —explicó Pável Pávlovich a Velcháninov, mirándole fijamente.

Velcháninov se daba cuenta de que le observaban; pero no trató siquiera de disimular su turbación. Continuó sentado, inmóvil, con la mano de Liza en la suya, contemplando atentamente a la niña. Pero Liza estaba abstraída, sin quitar ojo a su padre, escuchando con aire de temor cuanto decía, y olvidando su manecita en la mano del extraño.

Inmediatamente reconoció Velcháninov aquellos grandes ojos azules; pero lo que más le maravillaba era la asombrosa y delicadísima blancura de su tez y el color del pelo, indicios que no podían engañarle. El corte de cara y la forma de la boca recordaban, en cambio, claramente, a Natalia Vasílievna.

Mientras tanto Pável Pávlovich había empezado a contar una historia con mucho entusiasmo y sentimiento; pero Velcháninov no le escuchaba. Apenas oyó la última frase:

—...Así, no puede usted figurarse, Aléksieyi Ivánovich, nuestra alegría cuando el Señor nos hizo este presente. Desde el día en que nació, lo ha sido todo para mí... ¡Cuántas veces me he dicho que, si Dios me privaba de la felicidad, por lo menos me quedaría Liza!

—¿Y Natalia Vasílievna?... —interrogó Velcháninov.

—¿Natalia Vasílievna? —repuso, haciendo una mueca, Pável Pávlovich—. ¡Ya sabe usted cómo era! Poco amiga de palabras. Solamente en su lecho de muerte... Pero ¡entonces lo dijo todo! Sí; el día de su muerte se puso muy nerviosa, se enfadó, gritó que querían asesinarla con todas aquellas medicinas, que lo que tenía no era más que una fiebre, que nuestros dos médicos no entendían ni jota, que Koch (aquel médico militar viejo, ¿recuerda usted?) la pondría en pie en cuestión de quince días, y ¡qué sé yo las cosas...! Todavía cinco horas antes de morir se acordaba de que pasadas dos semanas habría que ir a felicitar a su tía, la madrina de Liza, por el día de su santo.

Velchánínov se levantó bruscamente, sin soltar la mano de Liza. En aquella mirada que la niña tenía fija en su padre le parecía ver una especie de reproche.

—Diga usted, ¿no estará enferma? —preguntó, con una expresión extraña.

—¿Enferma? No creo; pero... el estado de nuestros asuntos... —murmuró Pável Pávlovich amargamente—. Además, es bastante rara, muy nerviosa... Cuando la muerte de su pobre madre estuvo quince días en cama... Nada, un poco de histerismo... Cuando usted llegó lloraba... ¿oyes, Liza, oyes...? ¿Que por qué lloraba?, usted dirá. Pues siempre por la misma causa: que si salgo, que si la dejo sola, que si ya no la quiero como cuando vivía su madre... En fin, ideas absurdas que se le meten en la cabeza, cuando no debería pensar más que en sus juguetes... Cierto es que aquí no tiene a nadie con quien jugar.

—¿De modo que, entonces, viven ustedes completamente solos?

—Completamente... Una mujer viene a hacer la limpieza todos los días.

—Y cuando usted sale, ¿la deja sola?

—¿Qué quiere usted que haga? Mire usted, ayer, al salir, la dejé encerrada con llave en ese cuarto, y a eso se debe que hayamos tenido hoy tantas lágrimas. Pero, vamos a ver: ¿qué otra cosa podía yo hacer? Usted mismo juzgará: hace dos días bajó, en mi ausencia, al patio, y un pilluelo de la vecindad le tiró una piedra a la cabeza. Y, entonces, venga llorar y preguntar a todo el mundo que dónde estaba yo. ¡Muy agradable!... ¡Y yo que me voy por una hora, y vuelvo a la mañana siguiente, como hoy...! ¡Y la dueña de la casa, que tiene que mandar a buscar a un cerrajero para que la abra! ¿No le parece a usted una vergüenza? No parece sino que soy un monstruo. Sí, a veces llego a creérmelo. ¡Y todo, por haber perdido la cabeza...!

—¡Papá! —exclamó la niña con voz medrosa e inquieta.

—¿Bien, otra vez? ¿Vuelta a empezar? ¿Qué es lo que te dije antes?

—¡No lo volveré a hacer, no lo volveré a hacer! —gritó Liza aterrorizada, retorciéndose las manos.

—No es posible que continúen ustedes viviendo así —intervino bruscamente Velcháninov, con voz fuerte—. Vamos a ver, usted tiene medios; ¿cómo se le ha ocurrido venir a parar a un tugurio semejante?

—¿Un tugurio? Pero ¡si dentro de ocho días quizá no estemos ya aquí! Aun así, gastamos mucho, y por medios que se tengan...

—Bueno, bueno —interrumpió Velcháninov con creciente impaciencia y dando a entender: «es inútil; sé de antemano todo lo que vas a decirme, y el valor de todo ello»—. Escuche usted, voy a hacerle una proposición: acaba usted de decirme que piensa irse dentro de ocho días. Pongamos quince. Pues bien; conozco aquí una familia de toda confianza, cuya casa es como si fuera mía: los Pogoriétsev. Sí, Alexandr Pávlovich Pogoriétsev, el consejero íntimo. Por cierto que, acaso, le pueda ser útil a usted en su asunto. En este momento se encuentran en el campo, instalados en una casa muy confortable. Klavdia Petrovna Pogoriétseva es para mí como una hermana, como una madre. Tiene ocho hijos. Pues bien; a lo que iba: déjeme usted que le lleve a Liza. Yo mismo la llevaré, para no perder tiempo. Allí la acogerán con alegría, y la tratarán todo el tiempo que esté lo mismo que a una hija.

Una extraordinaria impaciencia, que ni siquiera trataba de disimular, se había apoderado de él.

—¡Imposible! —exclamó Pável Pávlovich haciendo una mueca, en la que Velcháninov creyó ver cierta malicia, y mirando a éste bien en los ojos.

—¿Por qué imposible?

—Pues porque no puedo desprenderme de la niña así como así... ¡oh!, ya sé que con un amigo como usted... no es eso... Pero, en fin, es gente muy encopetada, y no sé cómo la recibirían.

—¿No le he dicho a usted que son para mí como de la familia? —replicó Velcháninov casi colérico—. Con una palabra que yo diga, Klavdia Petrovna la recibirá lo mismo que a una hija... exactamente igual... ¡En fin, al diablo! ¡Habla usted por hablar!

Y dio un puntapié al suelo.

—Además —insinuó Pável Pávlovich—, ¿qué dirán? ¿No les parecerá la cosa un tanto rara? Porque, al fin y al cabo, alguna vez tendré que ir a verla; no va a estar siempre sin su padre. Y... ¿cómo iba yo a ir a una casa tan distinguida?

—Pero ¡si le estoy diciendo a usted que se trata de una familia muy sencilla, sin la menor pretensión! —gritó Velcháninov—. Le digo a usted que tienen un montón de hijos. Esta niña resucitará en aquella casa. Mañana mismo le presentaré a usted, si quiere. Sí, no tendrá usted más remedio que ir a darles las gracias. Iremos todos los días, si usted quiere...

—Sí, pero...

—¡Es absurdo! ¡Y lo más exasperante es que usted mismo sabe de sobra lo absurdo de sus objeciones! Vamos a ver, esta noche la pasará usted en casa, y mañana por la mañana nos pondremos en camino de manera que a las doce estemos en casa de los Pogoriétsev.

—¡Oh, es usted demasiado amable! No merezco yo... ¡Hasta pasar esta noche en su casa! —consintió Pável Pávlovich, enternecido–. Es mucha bondad... ¿Y dónde está esa casa de campo?

–En Lesnoye.

–Pero ¿en ese traje? A casa de una familia tan distinguida, aunque sea en el campo... Realmente... Usted me comprende, ¿verdad...? El corazón de un padre...

–¿Qué tiene que ver el traje? Está de luto, y no puede vestirse de otro modo. Además, no veo qué tiene el traje. Está perfectamente. Si acaso, otra ropa blanca, otra camisa...

En efecto, la ropa blanca que se entreveía dejaba bastante que desear.

–¡Inmediatamente! –se apresuró a decir Pável Pávlovich–; inmediatamente le darán la ropa blanca que haga falta; está lavándose en casa de María Sisóyevna.

–Entonces, habría que mandar a buscar un coche –dijo Velchaninov–, y cuanto antes, mejor.

Pero surgió un obstáculo: Liza se resistió con todas sus fuerzas. Había escuchado con terror la conversación; y si a Velchaninov, mientras trataba de persuadir a Pável Pávlovich, se le hubiera ocurrido fijarse en ella, habría visto retratada en su rostro la más profunda desesperación.

–¡No iré! –exclamó, grave y resueltamente.

–¿Ve usted? ¡Es igual que su madre...!

–¡Mentira; yo no soy como mamá! ¡Yo no soy como mamá! –gritó Liza, retorciéndose desesperadamente las manos, como si se defendiese de la acusación de parecerse a su madre–. ¡Papá, papá, si me abandonas...!

De pronto se volvió hacia Velchaninov, que se quedó aterrado:

–¡Y usted, si se empeña en llevarme...!

No pudo continuar. Pável Pávlovich la agarró brutalmente de una mano y, lleno de cólera, se la llevó a rastras al otro cuarto. Durante unos minutos se oyeron nuevos cuchicheos y sollozos ahogados. Ya se disponía Velcháninov a entrar en el cuarto, cuando apareció Pável Pávlovich, y le dijo, con una sonrisa forzada, que dentro de un instante estaría lista. Velcháninov hizo un esfuerzo para no mirarle, y apartó los ojos.

En ese momento entró María Sisóyevna. Era la mujerona con quien se había cruzado en el corredor. Traía la ropa blanca de Liza, que guardó en un saquito de mano.

−¿Entonces es usted, padrecito, quien se lleva a la niña? −dijo, dirigiéndose a Velcháninov−. Tiene usted familia, ¿eh? Muy bien; hace usted una buena obra, padrecito; la salva usted de un infierno. Ya verá usted que es un ángel.

−¡Vamos, María Sisóyevna!, ¿quiere usted callarse? −gruñó Pável Pávlovich.

−¿Por qué me voy a callar? ¿No digo acaso la verdad? ¿No es esto un infierno? ¿Y no es una vergüenza conducirse como usted se conduce, a los ojos de una niña que ya está en edad de comprender...? ¿Quiere usted que avise un coche, padrecito? A Lesnoye, ¿verdad?

−Sí, sí.

−Bueno, pues, ¡buen viaje!

Al fin salió Liza, muy pálida, con los ojos bajos. Sin decir una palabra, cogió el saco de mano. Se contenía; no miró a Velcháninov, ni se echó, como hacía un momento, en brazos de su padre, para decirle adiós. Claramente se advirtió que no quería mirarle siquiera.

El padre le dio un beso en la frente, muy despacio, y le acarició las mejillas. Los labios de la niña se contrajeron, y le tembló la barbilla; pero no levantó los ojos hacia su padre. Pável Pávlovich palideció, y sus manos se agitaron convulsivamente. Velcháninov lo observó, aunque haciendo todo lo posible para no mirarle. En aquel momento no tenía más que un deseo: marcharse cuanto antes. «Nada de esto es culpa mía, pensaba. Era inevitable.»

Bajaron. María Sisóyevna dio un par de besos a Liza. Y sólo entonces, cuando ya había subido al coche, levantó Liza los ojos hacia su padre, juntó las manos y lanzó un grito. Un segundo más, y se habría tirado del coche, para correr hacia él; pero ya los caballos habían arrancado.

VI

NUEVA FANTASÍA DE UN DESOCUPADO

—¿Te sientes mal? —dijo Velcháninov asustado—. Voy a hacer que paren y te traigan un vaso de agua...

La niña fijó en él una mirada furiosa, cargada de reproches.

—¿Adónde me lleva usted? —preguntó con voz seca y cortante.

—A casa de unas personas excelentes, Liza. Están ahora en el campo; tienen una casa muy agradable; hay allí muchos niños, que te querrán mucho, ya verás... No te enfades conmigo, Liza; lo hago por tu bien...

Cualquier amigo que le hubiese visto en aquel momento habría notado en él un cambio extraño.

—¡Qué... qué... qué malo es usted! —exclamó Liza, ahogada por los sollozos, mirándole con sus hermosos ojos ardiendo en ira.

—¡Es usted muy malo, muy malo, muy malo! —repitió, apretando los puños.

—¡Liza, Liza, si supieses la pena que me das! —suplicó Velcháninov, desfallecido.

—¿Es cierto que vendrá mañana? ¿Es cierto? —interrogó ella imperiosamente.

—¡Sí, sí, absolutamente cierto! Yo mismo le llevaré; iré a buscarle y le llevaré.

—No podrá usted. No vendrá —murmuró Liza, bajando los ojos.

–¿Y por qué no...? ¿Acaso él no te quiere, Liza?

–No, no me quiere.

–Dime, ¿es que te ha hecho sufrir?

Liza le miró con aire sombrío y no contestó. Luego se volvió hacia un lado, conservando bajos los ojos, obstinadamente. Él trató de calmarla, hablándole con mucha animación, en una especie de acceso febril. Liza escuchaba con aire desconfiado y hostil, pero escuchaba. Velcháninov, contento de que ella le prestase tanta atención, se puso a explicarle lo que era un hombre dado a la bebida. Le dijo que él también quería mucho a su padre y velaría por él.

Al fin, Liza levantó los ojos y le miró fijamente. Le contó entonces cómo había conocido a su mamá, y observó que ella se interesaba en el relato. Poco a poco la niña empezó a responder a sus preguntas, pero de mala gana, con monosílabos, en actitud recelosa. A las preguntas más interesantes no respondía nada, guardando un silencio obstinado en todo lo concerniente a su padre.

Al mismo tiempo que le hablaba, Velcháninov le cogió la mano, como antes, en la casa, y ella no la retiró. Acosada a preguntas, acabó también por confesarle, en términos confusos, que había querido a su padre más que a su madre; pero que mamá, en el momento de morir, la había besado muy fuerte, y había llorado mucho, estando las dos solas... y que ahora quería a su madre más que a nadie en el mundo, y cada día más.

Pero la niña también tenía su orgullo, y cuando se dio cuenta de que se había dejado llevar por las preguntas de Velcháninov, calló bruscamente, clavando en él una mirada de rencor.

Poco antes de llegar, ya se habían apaciguado sus nervios; pero continuaba pensativa, cejijunta, con aire hosco y sombrío. Sin embargo, parecía sufrir menos con la idea de que la llevaban a casa de unos desconocidos, a una casa en la que nunca había estado. Lo que la atormentaba era otra cosa, que Velcháninov adivinaba: se sentía avergonzada de él, avergonzada de que su padre la hubiese abandonado (casi cedido) con tanta facilidad a un extraño.

«Está enferma, pensaba Velcháninov, muy enferma. La han hecho sufrir demasiado... ¡Ah, ese borracho, ese ser abyecto! ¡Ahora te comprendo...!» Metió prisa al cochero. Contaba, para sanarla, con el campo, la vida al aire libre, el jardín, los niños, el cambio, y además, después de eso... De lo que después pudiera ocurrir no tenía aún la menor idea; en el tiempo confiaba. Sólo veía una cosa: que jamás había sentido lo que ahora, y que jamás, en toda su vida, podría olvidarlo. «¡He aquí el verdadero fin de la vida! ¡He aquí la verdadera vida!», pensaba, transportado de entusiasmo.

Las ideas se agolpaban en tumulto a su cabeza; pero él no se detenía a considerarlas, rehuyendo el entrar en detalles. La cosa era muy sencilla; todo se resolvería por sí mismo, sin necesidad de hacer nada. El plan de conjunto se dibujaba por sí solo: «Sería imposible, pensaba, que entre todos no podamos dar cuenta de ese miserable. Aunque ahora sólo nos confíe a Liza por unos días ya trataremos de arreglárnoslas de modo que la deje en Petersburgo, en casa de los Pogoriétsev, y que se vaya solo. Sí, Liza será para mí. Es cosa decidida. Además..., además, después de todo, es lo que él mismo desea. En otro caso, ¿por qué atormentarla como la atormenta?»

Al fin llegaron. La casa de los Pogoriétsev era, efectivamente, un precioso nido. Un tropel de chicos invadió con gran estrépito la terraza para venir a recibirles. Hacía largo tiempo que Velcháninov no había venido, y los niños le querían mucho. Todavía no había bajado del coche, cuando ya los mayorcitos le gritaban: «¿Y tu pleito? ¿Cómo va tu pleito?»

Y todos los demás, hasta el más pequeño, repitieron la pregunta, entre grandes risas. Era ya costumbre gastarle bromas con motivo de su pleito. Pero en cuanto vieron a Liza la rodearon y se pusieron a examinarla con esa curiosidad silenciosa y atenta de los niños. En el mismo instante salía Klavdia Petrovna de la casa, y tras ella su marido. También la primera palabra de ellos fue para preguntarle, riendo, cómo iba su pleito.

Klavdia Petrovna era una mujer de treinta y siete años, morena, robusta, todavía guapa, de tez fresca y sonrosada. El marido era un hombre de cincuenta y cinco, inteligente y discreto, y sobre todo, bondadoso. Aquel hogar era realmente, para Velchaninov «un rincón de familia», como él decía.

Veinte años antes, Klavdia Petrovna había estado a punto de casarse con Velchaninov, siendo éste todavía estudiante, casi un niño. Fue el primer amor, el amor inflamado, el amor absurdo y admirable. Todo ello había terminado por el matrimonio de Klavdia Petrovna con Pogoriétsev. Cinco años más tarde se encontraron de nuevo, y el amor de antaño se convirtió en una amistad franca y sosegada. De la antigua pasión sólo subsistía una especie de llama, que alumbraba y daba calor a sus relaciones de amistad. Nada que no fuera puro e irreprochable en este recuerdo del pasado de Velchaninov, tanto más grato para él cuanto que acaso era el único de este género en su vida. Aquí, en medio de esta familia, se sentía ingenuo, infantil y bondadoso, mimando a los niños, sin irritarse nunca, aprobándolo todo, sin reservas. Más de una vez declaró a los Pogoriétsev que dentro de poco tiempo, cuando se retirara del mundo, vendría a instalarse en casa de ellos para siempre. Y, realmente, pensaba con toda seriedad en este proyecto.

Les dio, respecto a Liza, todas las explicaciones necesarias. Por otra parte, bastaba la expresión de su deseo, sin explicaciones. Klavdia Petrovna dio un beso a la «huérfana» y prometió hacer todo lo que estuviese en su mano. Los niños cogieron a Liza de la mano, se la llevaron a jugar al jardín. Al cabo de media hora de animada conversación, se levantó Velcháninov para despedirse. Tan impaciente estaba por irse, que todos lo advirtieron y se extrañaron. «¡Hacía tres semanas que no aparecía y ahora venía sólo para media hora!» Juró él, riendo, que volvería al día siguiente. Notaron que parecía muy agitado. De pronto, cogió la mano de Klavdia Petrovna, y con el pretexto de que se había olvidado de decirle una cosa muy importante, la condujo a una habitación contigua.

—¿Se acuerda usted de aquello que le conté –a usted sola, pues su mismo marido lo ignora– del año que pasé en T...?

—Me acuerdo perfectamente; más de una vez me ha hablado usted de ello.

—¡No diga usted que le he «hablado», sino que me he confesado, y sólo a usted! Pero nunca le dije el nombre de aquella mujer: era la mujer de Trusotskii. Ha muerto ya, y Liza es su hija... ¡Y mi hija!

—¿Cómo? ¿Es posible? ¿No se engaña usted? –pregunto Klavdia Petrovna, un tanto turbada.

—Estoy seguro, absolutamente seguro de no engañarme –repuso Velcháninov con fuego.

Y de prisa, con emoción, le contó todo, lo más brevemente que pudo. Klavdia Petrovna hacía tiempo que estaba enterada de todo, menos del nombre de ella. Velcháninov siempre se había estremecido con el simple pensamiento de que alguien pudiera conocer a la señora Trusotskaya,[3] y sor-

---

3. En ruso se añade desinencia femenina al apellido para designar a las mujeres. Así de «Trusotskii», «Trusotskaya», de «Pogoriétsev»: «Pogoriétseva».

prenderse de que él hubiese podido estar tan enamorado de ella; a tal punto, que ni a su amiga más íntima, Klavdia Petrovna, se lo había revelado.

—Y el padre, ¿no sabe nada? —preguntó ella, al concluir él su relato.

—No... Es decir... En fin, eso es precisamente lo que me preocupa. No consigo acabar de ver claro en ello —replicó Velchaninov impetuosamente—. Sabe, sabe... hoy mismo, y también anoche, lo he visto sin lugar a dudas. Pero hasta qué punto está enterado, es lo que necesito poner en claro, y para ello tengo que irme enseguida. Esta noche le espero en casa. Por más que pienso, no acierto a comprender cómo habrá podido saber... quiero decir: saberlo *todo*... Respecto a Bagáutov, no cabe duda, está enterado de todo. Pero en lo que a mí se refiere... ¡Ya conoce usted a las mujeres! Y usted sabe la habilidad que tienen para que lo blanco parezca negro, si así les conviene. Ya podría bajar un ángel del cielo, que el marido haría caso a la mujer, y no al ángel... No sacuda usted la cabeza, no me condene usted; ¡ya hace tiempo, mucho tiempo, que yo mismo me he condenado...! Ve usted, hace un momento, en su casa, estaba tan convencido de que lo sabe todo, que yo mismo me delaté... ¿Lo creerá usted? Me siento avergonzado de haberlo recibido anoche tan groseramente... Ya le contaré a usted todo más adelante, al detalle... No cabe duda que vino a casa con el propósito de hacerme comprender que sabía la ofensa, y quién era el ofensor. Es la única razón posible de una visita tan estúpida, en estado de embriaguez... Pero, después de todo, es muy natural de su parte. Evidentemente, quería desenmascararme. Y yo, lo mismo anoche que hace un rato, no pude contenerme, me he conducido como un idiota. Me he descubierto. Pero, también, ¿por qué se le ha ocurrido venir en un momento en que me sentía tan poco dueño de mí mismo?... Le aseguro a usted que atormentaba a la pobre Liza únicamente por venganza... No le quepa a usted duda: más que malvado es un pobre idiota, un infeliz. ¡Si le viera usted ahora, tan desastrado, tan grotesco e incoherente, él, que antes era una persona perfectamente normal y sensata! Pero, al fin y al cabo, es muy natural que haya venido a parar a esto. ¡Hay que tener caridad, amiga mía! Sí, quiero ser ya otro muy distinto para él, y tratarle con mucha dulzura. Será una buena obra. Además, en este caso, toda la razón está de su parte... Escuche usted, es preciso que usted lo sepa: una vez, en T..., tuve necesidad urgente de cuatro mil rublos, y él me los adelantó enseguida, sin querer recibo, verdaderamente contento de prestarme un servicio: ¡y yo acepté, y recibí de sus manos el dinero, entiende usted, como de las manos de un amigo!

—Sobre todo, sea usted más prudente —respondió Klavdia Petrovna, un poco inquieta ante aquel flujo de palabras—. Agitado como está usted, realmente no estoy tranquila, y temo por usted. Claro que, desde este momento, Liza es como una hija mía; pero hay aún en todo esto tantas cosas que resolver... Lo esencial es que, de aquí en adelante, sea usted más cauteloso; es absolutamente preciso, así como moderar un poco esa fogosidad y ese entusiasmo. Se siente usted demasiado generoso en sus momentos de felicidad... —añadió con una sonrisa.

Salieron todos para acompañar a Velcháninov hasta el coche. Los niños trajeron consigo a Liza, que jugaba con ellos en el jardín, y a la que miraban todavía con más estupefacción que a su llegada. La niña adquirió un aspecto muy huraño cuando Velcháninov la besó delante de todo el mundo, diciéndole adiós y reiterándole solemnemente la promesa de volver al día siguiente con su padre. Hasta el final estuvo ella silenciosa, sin mirarle; pero, bruscamente, le cogió las manos, llevándole aparte y fijando en él una mirada suplicante, como queriendo decir algo.

—¿Qué pasa, Liza? —preguntó Velcháninov con voz tierna y persuasiva.

Pero ella seguía mirándole medrosa, y lo arrastró todavía más lejos, a un rincón apartado, no queriendo que les viesen.

—Di, Liza, ¿qué ocurre? —repitió él.

Ella callaba, sin decidirse a hablar, con los grandes ojos azules fijos en él y un terror reflejado en el semblante.

—¡Se... se ahorcará! —dijo muy quedo, como delirando.

—¿Quién se ahorcará? —interrogó Velcháninov, espantado.

—¡Él, él...! ¡Ya anoche quiso ahorcarse! —explicó ella, con voz precipitada, perdiendo el aliento— ¡Sí, yo lo vi! ¡Quiso ahorcarse! ¡Y se ahorcará; me lo ha dicho, me lo ha dicho! Hace tiempo que quiere ahorcarse, hace tiempo... Esta noche, yo lo he visto...

—¡No es posible! —murmuró Velcháninov, confundido y perplejo.

De pronto, la niña se arrojó sobre sus manos, las besó, llorando, ahogada por los sollozos, rogándole, suplicándole... Toda su vida a partir de entonces tendría presente Velcháninov, despierto y en sueños, aquellos ojos extraviados de la niña, fijos en él con espanto y un último resto de esperanza.

«¿Tanto lo quiere?, pensaba con un sentimiento de celos, mientras volvía a la ciudad, en un estado de impaciencia febril. ¿No me decía antes ella misma que quería mucho más a su madre...? ¡Quién sabe; también es posible que no le quiera lo más mínimo, que hasta le odie...! ¿Ahorcarse? ¿Ahorcarse el muy idiota...? ¡Es preciso que yo sepa; y sin pérdida de tiempo! ¡Hay que acabar de una vez; y lo antes posible!»

VII

EL MARIDO Y EL AMANTE SE BESAN

Sentía una necesidad imperiosa de *saber*, de saber al momento.

«Esta mañana me quedé desconcertado, y no pude darme cuenta de todo, pensó, recordando su primer encuentro con Liza; pero lo que es ahora, de un modo o de otro, tengo que enterarme.»

Para precipitar las cosas, estuvo a punto de ir en seguida a ver a Trusotskii; pero pronto cambió de idea.

«No, es preferible que venga él a mi casa. Entre tanto, me ocuparé de mi maldito asunto.»

Y corrió, con una premura febril, a efectuar algunas diligencias, que a él se le antojaban de carácter urgente: pero él mismo comprendió esta vez que estaba demasiado distraído, e incapaz de darse cuenta cabal de lo que hacía. Se disponía a comer, a eso de las cinco, cuando súbitamente le vino a la cabeza una idea que jamás se le había ocurrido hasta entonces. Pensó que muy bien pudiera ser que, con su manía de meterse en todo, de enredarlo todo, de correr de tribunal en tribunal y hostigar incesantemente a su abogado, no hiciera otra cosa que retrasar la solución de su asunto. No dejó de divertirle la hipótesis.

«¡Y pensar que si esta idea se me hubiese ocurrido ayer me habría desesperado!», observó, con creciente regocijo.

A la par que el regocijo, aumentaban su distracción y su impaciencia. Poco a poco, fue quedando pensativo, y su pensamiento inquieto flotaba de una cosa en otra, sin llegar a ninguna conclusión definitiva respecto a lo que en aquel momento más le importaba.

«Necesito a ese hombre; es preciso que lea en él hasta el fondo. Y además, hay que acabar de una vez. No hay más que una solución: ¡un duelo!»

Cuando volvió a su casa a las siete, no estaba todavía Pável Pávlovich, cosa que le sorprendió en extremo. Luego pasó de la sorpresa a la cólera, de la cólera a la tristeza, y, por fin, de la tristeza al miedo. «¡Sabe Dios cómo acabará todo esto!», se repetía, tan pronto caminando a grandes pasos por la habitación, como echado en el diván, pero sin quitar ojo del reloj.

Al fin, a eso de las nueve, llegó Pável Pávlovich. «Si este hombre quiere jugar conmigo, ninguna ocasión mejor que ésta, hasta tal punto me siento fuera de mí», pensó, adoptando un aire más afable y jovial.

Sonriendo, de muy buen humor, le preguntó cómo había tardado tanto. El otro sonrió también, con aspecto socarrón, y se sentó con gran desenvoltura, tirando encima de una silla el sombrero de la gasa negra.

Velchaninov lo notó en seguida y se puso en guardia.

Tranquilamente, sin frases inútiles, sin agitación superflua, le explicó lo que había hecho durante el día: le contó lo ocurrido en el trayecto, lo cariñosamente que habían recibido a Liza, lo buena que aquella temporada en el campo sería para su salud. Luego, como si se olvidase de Liza, no habló más que de los Pogoriétsev. Elogió su bondad, la antigua amistad que le unía a ellos; dijo el hombre excelente y distinguido que era Pogoriétsev, y otra porción de cosas por el estilo. Pável Pávlovich escuchaba con aire distraído, lanzando a su interlocutor de cuando en cuando una sonrisa incisiva y sarcástica.

—Es usted un hombre entusiasta —murmuró al fin, con una risita maligna.

—Y usted está hoy de un humor detestable —repuso Velcháninov, con acento de irritación.

—¿Y por qué no voy a ser malo y perverso, como todo el mundo? —gritó Pável Pávlovich, poniéndose en pie de un salto.

Parecía como si no hubiese esperado más que una ocasión para estallar.

—¡Nadie se lo impide a usted! —dijo Velcháninov, sonriendo—. Creí que le pasaba a usted algo en particular.

—Sí, algo me ha pasado —exclamó el otro, ampulosamente, como enorgulleciéndose de ello.

—¿El qué?

Pável Pávlovich tardó unos segundos en contestar.

—¡Pues nuestro amigo Stepán Mijaílovich, que hace de las suyas...! ¡Sí, el mismo, Bagáutov, el joven más distinguido y más guapo de Petersburgo!

—¿Es que se ha negado otra vez a recibirle?

—De ningún modo; esta vez me han recibido; ha dejado que lo contemple, que admire su noble fisonomía... Sólo que ya no era más que la fisonomía de un muerto.

—¿Cómo? ¿Qué dice usted? ¿Bagáutov ha muerto? —exclamó Velcháninov con una profunda sorpresa, aunque no hubiese motivo para sorprenderse tanto.

—¡Sí, señor, el mismo...! ¡Ah, el excelente, el único amigo de seis años...! Ayer, a mediodía, fue cuando murió. ¡Y yo sin saber nada...! ¡Quién sabe; acaso murió en el mismo momento en que yo iba a preguntar por él! Mañana es el entierro; ya le han amortajado. Lo han metido en un ataúd forrado de terciopelo morado, con galones de oro... Ha muerto de una fiebre... Me dejaron entrar a ver el cadáver. Dije que habíamos sido amigos íntimos, y por eso me dejaron entrar...

¡Tenga usted la bondad de fijarse en lo que ha hecho de mí ese entrañable amigo de seis años! ¡Es muy posible que él haya sido la única causa de mi venida a Petersburgo!

–Vamos, vamos, no irá usted a enfadarse ahora con él –dijo Velcháninov sonriendo–. ¡No supondrá usted que se ha muerto adrede!

–Pero, ¡cómo! ¡Si lo que le tengo es muchísima lástima! ¡Ya lo creo; un amigo como no los hay!... Fíjese, fíjese usted en todo lo que era para mí.

Y de pronto, del modo más imprevisto, Pável Pávlovich se llevó dos dedos a la frente calva, enderezándolos a manera de cuernecitos, y riendo con una risa tranquila y prolongada. Así estuvo más de medio minuto, mirando con una insolencia maliciosa, frente a frente, a Velcháninov.

Éste quedó estupefacto, como si viese a un espectro; pero su estupefacción sólo duró un instante. Una sonrisa burlona, fría y provocativa, se dibujó lentamente en sus labios.

–¿Y qué quiere decir todo eso? –preguntó, fingiendo indiferencia, arrastrando las palabras.

–Eso quiere decir... ¡lo que de sobra sabe usted! –respondió Pável Pávlovich, retirando al fin los dedos de la frente.

Ambos callaron unos instantes.

–¿Sabe usted que es un hombre valiente? –continuó Velcháninov.

–¿Por qué? ¿Porque le he dicho a usted la verdad...? Mire, Aléksieyi Ivánovich, haría usted mucho mejor en ofrecerme algo de beber. Como yo hice en T... con usted, durante todo un año, sin dejar un día... Mande usted que traigan una botella; tengo seca la garganta.

–Con mucho gusto; haberlo dicho antes... ¿Usted qué es lo que bebe?

–Diga usted *bebemos*, en plural; no irá usted a dejarme beber solo, ¿eh?

Y Pável Pávlovich le miraba fijamente a los ojos, con aire de reto, y como presa de una extraña inquietud.

—¿Champán...?

—Evidentemente. Todavía no hemos caído en el aguardiente.

Velcháninov se levantó sin apresurarse, llamó a Mavra y le hizo el encargo.

—¡Brindaremos por nuestro venturoso encuentro, después de nueve años de separación! —exclamó Pável Pávlovich, con una carcajada absurda— ¡Ahora, a usted le toca, usted es ya mi único amigo! ¡Stepán Mijaílovich Bagáutov desapareció! Como dijo el poeta:

¡Muerto está el gran Patroclo,
y en vida aún el vil Tersites!

Y al decir Tersites, se señalaba a sí mismo con el dedo.

«¡Vamos, animal, explícate más de prisa, que no me agradan las medias palabras!», pensaba Velcháninov, ardiendo en ira y conteniéndose a duras penas.

—Pero, vamos a ver, diga usted —exclamó, al fin, con mal humor—; si es verdad que tiene usted motivos de agravio contra Stepán Mijaílovich (ya no le llamaba Bagáutov a secas),[4] lo natural es que se alegre usted vivamente de la muerte de su ofensor; y más bien parece usted sentirla.

—¿Alegrarme? ¿Alegrarme? ¿Y por qué?

—¡Caramba, yo juzgo poniéndome en su lugar!

---

4. Es sabido que en Rusia se acostumbra a llamar a las personas por su nombre de pila, seguido del patronímico, a semejanza de algunos pueblos orientales. Así: «Stepán Mijaílovich» = «Stepán (Esteban), hijo de Mijaíl (Miguel).» La designación por el apellido sólo se considera poco respetuosa.

—¡Ah, pues en ese caso debe usted equivocarse de medio a medio respecto a mis sentimientos! ¡Ya lo dijo el sabio: «Bien está el enemigo muerto; mejor aún el enemigo vivo»! ¿No cree usted también?

—Pero, en fin, me parece tuvo bastante con los cinco años en que pudo verle todos los días —replicó Velcháninov, con acento mordaz y agresivo.

—Pero, ¿acaso lo sabía yo entonces? ¿Es que usted se figura que yo estaba enterado? —exclamó violentamente, poniéndose de nuevo en pie de un salto, y como satisfecho de ver llegar al fin una pregunta que desde hacía tiempo hubiese esperado—. Pero, Aléksieyi Ivánovich, ¿por quién me ha tomado usted?

Y en su mirada brilló de pronto algo nuevo, imprevisto, que transfiguró súbitamente su rostro, hasta entonces descompuesto por una risa sardónica y repulsiva.

—¿Cómo? ¿No sabía usted nada? —gritó Velcháninov estupefacto.

—¡Ah, conque es cierto!; ¿usted se figuraba que yo sabía...? ¡Ah, menuda gente! ¡Para ellos, un hombre es poco más que un perro, y se figuran que todo el mundo está cortado por el mismo miserable patrón que ellos...! ¡Aj, qué asco...!

Y descargó un violento puñetazo sobre la mesa; pero, asustándose enseguida de tanto estrépito, miró a su alrededor con ojos temerosos.

Velcháninov había recobrado ya toda su sangre fría.

—Mire usted, Pável Pávlovich, usted comprenderá que a mí me es completamente igual que usted estuviera o no enterado. Claro que el que usted no lo supiera le hace honor a usted, aunque... Por otra parte, no me explico la causa de que me haya tomado usted por confidente.

—No es por usted, de ningún modo... no se enfade usted... no es por usted... —tartamudeó Pável Pávlovich, mirando al suelo.

En eso entró Mavra con el champán.

—¡Ah, aquí viene! —exclamó Pável Pávlovich, visiblemente encantado de la interrupción—. ¡Copas, *matuschka*, copas! ¡Magnífico...! Magnífico; es todo lo que necesitamos. ¿Lo han descorchado ya? ¡Admirable, hermosa criatura, admirable! Puede usted retirarse.

Había cobrado otra vez valor. De nuevo miró a Velcháninov cara a cara, con audacia.

—Confiese usted —dijo otra vez con su risa sardónica— que todo esto le intriga a usted enormemente, y dista mucho de serle «completamente igual», como decía usted antes. ¡Como que se sentiría usted muy defraudado si yo me fuese ahora sin explicarle nada!

—Está usted en un error; no me sentiría defraudado lo más mínimo.

«¡Estás mintiendo!», parecía decir la sonrisa de Pável Pávlovich.

—¿Sí? Pues, entonces, bebamos —y llenó las copas.

—Bebamos —repitió, levantando la suya—: a la salud póstuma de nuestro pobre amigo Stepán Mijaílovich.

—Ese brindis es absurdo —dijo Velcháninov dejando su copa en la mesa, sin beber.

—¿Por qué? No lo creo; es un pequeño brindis sumamente ingenioso.

—Vamos a ver, ¿estaba usted ya borracho antes de venir?

—¡Psé!, había bebido un poco. ¿Por qué me lo pregunta usted?

—¡Oh!, por nada. Pero me pareció ver anoche, y esta mañana, sobre todo, que sentía usted verdaderamente la muerte de Natalia Vasílievna.

—¿Y quién le dice a usted que lo siento menos en este instante? —exclamó Pável Pávlovich, saltando de nuevo, como movido por un resorte.

—No es eso lo que quiero decir. Pero, en fin, usted mismo reconocerá que se engañó respecto a Stepán Mijaílovich, cosa que no deja de tener su importancia.

—¡Ah, está usted ardiendo por saber cómo he podido enterarme de lo que atañe a Stepán Mijaílovich!

Velcháninov enrojeció de cólera.

—Le repito a usted que me es indiferente.

«¿Y si le pusiera de patitas en la calle con su botella?», pensó. Y su cólera crecía, y sus mejillas se amorataban.

—¡En fin, nada de eso tiene importancia! —dijo Pável Pávlovich, como si quisiera darle ánimos. Y se llenó otra vez la copa.

—Voy a explicarle a usted en seguida cómo me enteré de todo. Aunque no sea sino para satisfacer su ardiente curiosidad... porque es usted un hombre ardiente, Aléksieyi Ivanovitch, ¡muy ardiente! ¡Je, je! Pero déme usted un pitillo, ya que desde el mes de marzo...

—Aquí tiene usted.

—Pues sí, Aléksieyi Ivánovich, desde el mes de marzo empecé a echarme a perder. Yo le diré a usted cómo ha ocurrido. Escúcheme con atención. (Breve pausa. Luego, cada vez con más familiaridad.) La tisis, como usted sabe perfectamente, amigo mío, la tisis es una enfermedad curiosísima. Generalmente, el tísico se muere casi sin darse cuenta. Como que cinco horas antes de expirar estaba Natalia Vasílievna pensando en ir a ver, dentro de quince días, a una tía suya que vivía a cuarenta *verstas*[5] de nosotros. Por otra parte, ya sabe usted la costumbre, o, mejor dicho, la manía que tienen muchas mujeres, y quizás también muchos hombres, de conservar todas las cartas de amor. Lo más seguro, ¿verdad?, es

_____

5. *Versta*: medida itineraria rusa equivalente a 1.067 metros.

echarlas al fuego. Pues nada, ellas se empeñan en conservar el menor pedacito de papel, y lo guardan cuidadosamente en un escritorio o dentro de un cofrecillo; y hasta las clasifican, bien numeradas, por años, por categorías, por series. No sé si encuentran en ello algún consuelo; pero, por lo menos, debe suscitarles una porción de recuerdos agradables... Evidentemente, cuando, cinco horas antes de expirar, proyectaba ir a ver a su tía, no pensaba Natalia Vasílievna lo más mínimo en morirse; ni siquiera una hora antes, cuando quería que llamásemos al doctor Koch. Así sucedió que murió sin preocuparse del cofrecillo de ébano con incrustaciones de plata y nácar que había en su escritorio. Era un cofrecillo precioso, con una llavecita muy diminuta; un recuerdo de familia, que le venía de su abuela. ¡Pues bien, en aquel cofrecillo estaba todo! Pero todo, lo que se llama todo, sin excepción, desde hacía veinte años, clasificado por años y por días. Y como Stepán Mijáilovich tenía una marcada afición a la literatura, había en el cofrecillo unas cien cartas suyas; lo suficiente para hacer un folletín apasionado. Verdad es que la cosa había durado cinco años. Algunas de las cartas estaban anotadas por Natalia Vasílievna... Muy agradable para un marido, ¿no le parece a usted?

Velcháninov reflexionó un momento, recordando que jamás había escrito a Natalia Vasílievna la menor carta; ni siquiera una esquela. Desde Petersburgo había escrito dos cartas, pero dirigidas a ambos esposos, como tenían convenido. Ni siquiera había contestado a la última carta de Natalia Vasílievna en que ésta rompió las relaciones con él.

Al terminar su relato, quedó Pável Pávlovich en silencio un minuto largo, con su sonrisa insolente e interrogadora.

—¿Por qué no responde usted a mi pregunta?

—¿Qué pregunta?

—La referente a los sentimientos tan agradables que experimenta un marido al descubrir un cofrecillo de éstos.

—¿Y a mí qué me importa? —exclamó Velcháninov muy agitado. Y levantándose, se puso a pasear de arriba abajo.

—Apuesto cualquier cosa a que, en este momento, está usted pensando: «¡Habráse visto animal, que, sin que nadie se lo pida, pone al descubierto su deshonra!» ¡Ja, ja! ¡Pone usted una cara de repugnancia!

—No pienso semejante cosa. Al contrario. Usted está sobreexcitado por la muerte del hombre que le ofendió, y además ha bebido usted demasiado. No veo que tenga nada de particular. Comprendo perfectamente el interés de usted por que Bagáutov viviese, y la decepción que ha sufrido con su muerte; pero...

—¿Y por qué cree usted que yo tenía tanto interés en que Bagáutov viviese?

—Eso, usted sabrá.

—¿A que pensaba usted en un duelo?

—¡Al diablo! —exclamó Velcháninov, cada vez menos dueño de sí mismo—. Lo que pensaba es que un hombre que sea un caballero... en un caso de este género, no se rebaja a habladurías absurdas, estúpidos gestos, gemidos ridículos y equívocos repugnantes, que no hacen más que degradar a quien los emplea; sino que procede francamente, abiertamente, sin reticencias... ¡como un caballero!

—¡Ja, ja! ¿De modo que yo no soy un caballero?

—Eso, también es cosa suya... Pero, vamos a ver, si no era por eso, ¿por qué demonios tenía usted tanto interés en que Bagáutov viviese?

—¿Que por qué? ¡Pues aunque no hubiera sido más que por el gusto de verle! Habríamos mandado buscar una botella, y la habríamos bebido juntos.

—Él se habría negado a beber con usted.

—¿Y por qué razón? *Noblesse oblige!*[6] ¿No bebe usted conmigo? Pues ¿por qué iba a ser él más escrupuloso?

—¿Yo? Yo no he bebido con usted.

—¿A qué viene, de pronto, ese orgullo?

Velcháninov se echó a reír, con una risa nerviosa y agitada.

—Pero, ¡caramba!, se pone usted verdaderamente feroz. ¡Y yo que creía que no era usted más que un «eterno marido»!

—¿Cómo un *eterno marido*? ¿Qué quiere usted decir con eso? —exclamó Pável Pávlovich, aguzando el oído.

—¡Oh!, nada, un tipo de marido... Es demasiado largo de explicar. Además, ya es hora de que se vaya usted. Es tarde y estoy muy cansado.

—¿Y por qué *feroz*? Ha dicho usted *feroz*.

—¿No comprende usted que se lo he dicho en broma?

—¡No! ¿Qué es lo que ha querido usted decir? ¡Dígamelo usted, Aléksieyi Ivánovich, se lo suplico, dígamelo, por amor de Dios o de Cristo!

—¡Vamos, basta! —dijo Velcháninov, encolerizado—. ¡Ya es hora; váyase usted!

—¡No, no basta! —gritó Pável Pávlovich, con voz vibrante—. Es muy posible que le esté molestando; pero no me iré sin brindar antes con usted y beber en su compañía. Bebamos y enseguida me iré. ¡Antes, de ningún modo!

—Vamos a ver, Pável Pávlovich, ¿se va usted al diablo, sí o no?

—Me iré al diablo, si usted quiere, pero ¡después que hayamos bebido! Usted dijo que no quería beber *conmigo*; ¡pues bien, *yo sí quiero* que beba usted conmigo!

Ya no reía sardónicamente, ya no disimulaba. En todo

---

6. «Nobleza obliga». (En francés en el texto.)

su rostro se había operado una transformación tan completa, que Velcháninov quedó estupefacto.

—¡Vamos, pues, Aléksieyi Ivánovich, bebamos! ¡Ya no se negará usted! —continuó Pável Pávlovich, cogiéndole fuertemente de la mano y fijando en él una mirada extraña.

Evidentemente, ya no se trataba sólo de un vaso de vino.

—Sea, ya que usted se empeña —murmuró Velcháninov—. Pero, mire usted, casi no queda...

—Todavía quedan muy bien dos copas. ¡Vamos, bebamos y brindemos! Tenga usted la bondad de coger su copa.

Chocaron los vasos y bebieron.

—Bueno, ahora... puesto que... ¡Ah!

Y Pável Pávlovich se llevó las manos a la frente, permaneciendo así unos instantes. Velcháninov aguardaba, creyendo que esta vez el otro iba a decirlo todo, hasta la última palabra. Pero Pável Pávlovich no dijo nada. Miraba tranquilamente a Velcháninov, con la boca torcida en una sonrisa convulsiva y sarcástica.

—¿Me dirá usted, al fin, qué es lo que quiere de mí, borracho? —gritó Velcháninov, con voz furiosa, golpeando el suelo.

—¡No grite usted! ¿A qué viene gritar? —repuso el otro, muy de prisa, calmándole con un ademán—. ¡No hablo en broma, no...! ¡Ah, usted no sabe lo que significa para mí!

Y con un movimiento rápido le besó la mano, sin dar tiempo a Velcháninov de retirarla.

—¡Eso es lo que usted significa para mí...! ¡Ahora, me voy al diablo, como usted quería!

—¡Espere, quédese! —exclamó Velcháninov—. Olvidaba decirle...

Pável Pávlovich, que ya estaba cerca de la puerta, volvió atrás.

–Mire usted –dijo Velcháninov, casi en voz baja, muy de prisa, hurtando la mirada y sonrojándose–; es conveniente que vaya usted mañana, sin falta, a casa de los Pogoriétsev, para conocerlos y darles las gracias... pero ¡sin falta!

–¡Seguramente, sin falta! Es natural –respondió Pável Pávlovich con una premura desusada, haciendo con la mano señal de que era superfluo insistir.

–Tanto más cuanto que Liza tiene muchos deseos de verle. Se lo he prometido.

–¿Liza? –repitió Pávlovich–. ¿Liza? ¿Sabe usted lo que Liza ha sido para mí, lo que ha sido y lo que es? –Y gritaba, como transportado–. Pero todo eso... todo eso... más adelante, más adelante... Por el momento, no basta que haya usted bebido conmigo, Aléksieyi Ivánovich; me es absolutamente indispensable otra satisfacción...

Y dejando el sombrero encima de una silla, miró de nuevo a Velcháninov, cara a cara, un poco jadeante.

–Déme usted un beso, Aléksieyi Ivánovich –dijo bruscamente.[7]

–¡Está usted borracho! –exclamó Velcháninov, retrocediendo.

–¿Borracho? Sí, es posible; pero no se trata de eso. Déme usted un beso, Aléksieyi Ivánovich... ¡Es preciso que me dé usted un beso! ¿No le besé yo a usted antes la mano?

Velcháninov quedó un momento en silencio, como si le hubiesen asestado un palo en la cabeza. Luego, con un ademán brusco, se inclinó hacia Pável Pávlovich, que estaba allí, muy cerca de él, y le besó en la boca, que olía horriblemente a vino. Todo fue tan instantáneo, tan extraño, que más tar-

---

7. Es de advertir que en Rusia el beso es saludo corriente también entre hombres, tratándose de amigos íntimos.

de, cuando pensaba en ello, no sabía si realmente lo había besado.

—¡Ah, ahora... ahora...! —exclamó Pável Pávlovich en un transporte de borracho, con los ojos muy brillantes—. ¡Ah!, yo me decía, ¿sabe usted? «¡Cómo, también él! Pero, entonces, si es verdad, ¿en quién creer?»

Y se deshizo en lágrimas.

—¡Ah, qué amigo, qué amigo es usted ya para mí...!

Y cogiendo el sombrero, huyó.

Velcháninov quedó en pie unos instantes, clavado en el sitio, lo mismo que después de la primera visita de Pável Pávlovich.

«¡Bah; es un borracho y un estrafalario, simplemente! —y se encogió de hombros—. ¡Un idiota y nada más!», insistió enérgicamente, mientras se desnudaba para meterse en la cama.

VIII

LIZA, ENFERMA

Al día siguiente por la mañana, en espera de Pável Pávlovich, que había prometido ser puntual, para ir a casa de los Pogoriétsev, se paseaba Velcháninov por su cuarto, después de haber tomado el café, fumando un cigarro y vacilando, en el estado de ánimo de un hombre que, al despertar, se acuerda de haber recibido la víspera una bofetada.

«¡Hum...! De sobra sabe él a qué atenerse. Quiere vengarse de mí por medio de Liza», pensaba, atemorizándose.

La carita delicada y triste de la niña surgió ante él. Le palpitaba con violencia el corazón al pensar que aquel mismo día, muy pronto, dentro de un par de horas, vería de nuevo a su Liza.

«No hay duda, se afirmaba con exaltación; ésa es ya toda mi vida, y mi única finalidad. ¡Qué me importan todas las bofetadas y esos regresos al pasado...! ¿Para qué ha servido mi vida hasta hoy? Desorden y dolor... Pero, ahora, todo ha cambiado; ¡ya es otra cosa!»

Sin embargo, a pesar de su entusiasmo, cada vez le asaltaban más preocupaciones.

«¡Se vengará de mí por medio de Liza; la cosa está clara!, y se vengará también en Liza... ¡Hum...! ¡Estoy resuelto a no tolerarle más despropósitos como los de anoche!» Y enrojecía de vergüenza al recordarlo. «Pero ¡no llega, y ya son las doce!»

Aguardó todavía hasta las doce y media, con angustia creciente. Pável Pávlovich no llegaba. Al fin, la idea que ya había apuntado antes, de que si no venía era únicamente por añadir una extravagancia más a las muchas de la víspera, se apoderó de él por completo, trastornándole.

«¡Sabe que me tiene cogido! ¿Cómo voy yo a presentarme ahora ante Liza, sin él?»

A la una no pudo ya contenerse, y tomó un coche, que le llevó a casa de Pável Pávlovich. Allí le dijeron que éste no había pasado en ella la noche, que había vuelto a las nueve de la mañana, que apenas estuvo un cuarto de hora, y que había vuelto a marcharse.

Velcháninov escuchaba las explicaciones de la criada en pie ante la puerta de Pável Pávlovich, dándole vueltas inconscientemente al pomo de la puerta. Cuando la criada hubo terminado, escupió, soltó la puerta y pidió ver a María Sisóyevna. Ésta, al saber quién era, acudió sin demora.

Era una excelente mujer, «una mujer de sentimientos muy generosos», como decía de ella Velcháninov cuando, más tarde, contaba a Klavdia Petrovna su conversación. Inmediatamente, después de preguntarle por la niña, se puso a murmurar de Pável Pávlovich:

—Si no hubiese sido por la pequeña, hace ya tiempo que lo habría echado con cajas destempladas. Aun así, ya habían tenido que mudarle del hotel al pabellón, a causa del desorden de su vida. ¿No es un verdadero crimen traer mujerzuelas a su casa, teniendo a una niña en edad de comprender...? Y le dice a gritos: «¡Mira, ésta será tu madre cuando a mí se me antoje!» Figúrese usted que la misma mujer que había traído le escupió a la cara, de asco. Y otras veces le dice: «¡Tú no eres mi hija, tú eres una bastarda!»

—¡Cómo! —profirió Velcháninov, espantado.

—Como usted oye. Yo misma lo he oído. Cierto que es un borracho, y no sabe lo que dice; pero, de todos modos, esas cosas no se deben decir delante de una niña. Por pequeña que sea, todo esto le entra en la cabeza, y allí se queda. ¡Y que no llora la pobrecita que digamos! Hace unos días hubo una desgracia en casa. Un hombre, comisario, según parece, vino una noche a alquilar una habitación, y al día siguiente por la mañana amaneció ahorcado. Dicen que había perdido en el juego. La gente se agolpa; Pável Pávlovich no estaba en casa; la niña, que se encontraba sola, sale, y de pronto, yo, que también había acudido al corredor, me la veo contemplando al ahorcado con una expresión muy extraña. La cojo enseguida y me la llevo; pero ya era tarde. Empieza a dar diente con diente, de fiebre, se pone completamente negra y, apenas entramos en su cuarto, se cae al suelo, muy tiesa. Le di fricciones, golpecitos en las manos, ¡qué sé yo!; me costó la mar de trabajo hacerla volver en sí. Debe ser alferecía, ¿verdad? Desde entonces no está sana. Cuando el padre volvió, y se enteró de todo, empezó por darle un pellizco muy fuerte —el muy canalla tiene más afición a los pellizcos que a los golpes—; luego se sirve un buen vaso de vino, y le dice, para asustarla: «Yo también voy a ahorcarme, y tú eres la causa de que yo me ahorque. Mira, ésta es la cuerda con que me ahorcaré», y hace un nudo corredizo delante de ella. Entonces la niña perdió la cabeza, se echó sobre él, agarrándole con las manos, y gritando: «¡No volveré a hacerlo! ¡No volveré a hacerlo!» ¡Diga usted si no es una lástima!

Cosas muy raras esperaba Velch–ninov: pero este relato le consternó a tal punto, que no podía creer fuese verdad. Todavía le contó más María Sisóyevna. Una vez, por ejemplo, seguramente que si ella no llega a estar allí se tira por una ventana. Al separarse de María Sisóyevna, iba Velch–ninov como un borracho. «¡Le mataré, le mataré como a un perro, de un palo en la cabeza!», mascullaba para sí.

Cogió un coche para ir a casa de los Pogoriétsev. Antes de llegar a las afueras tuvo que detenerse el coche en una plaza, próxima a un puente, por el que desfilaba en aquel momento un largo entierro. Los alrededores del puente estaban invadidos por una multitud compacta de mirones y una fila de carruajes detenidos. El entierro era suntuoso, y la fila de coches interminable. De pronto, en uno de ellos, vio aparecer Velcháninov el rostro de Pável Pávlovich. No habría dado fe a sus ojos, si el otro no se hubiera inclinado por la ventanilla, saludándole con la mano, muy risueño. Evidentemente, estaba encantado del encuentro. Velcháninov saltó a tierra, y a pesar de la muchedumbre y de los agentes, se deslizó hasta la portezuela del coche, que ya entraba en el puente. Pável Pávlovich iba solo.

—¿Por qué no ha ido usted a buscarme? —le gritó Velcháninov—. ¿Cómo es que está usted aquí?

—Cumpliendo los últimos deberes... ¡No grite usted, no grite...! ¡Estoy cumpliendo los últimos deberes —dijo Pável Pávlovich, haciendo un guiño malicioso—; acompañando los restos mortales de mi queridísimo amigo Stepán Mijaílovich.

—¡Todo eso es absurdo, borracho estúpido! —gritó más fuerte aún Velcháninov, momentáneamente desconcertado—. ¡Vamos, baje usted inmediatamente, y acompáñeme! ¡Vamos, en seguida...!

—Imposible... es un deber...

—¡Le llevaré a usted a la fuerza! —aulló Velcháninov.

—¡Y yo gritaré, gritaré! —repuso Pável Pávlovich, con su misma risa jovial, como si el juego fuera de su agrado, refugiándose en un rincón del coche.

—¡Cuidado! ¡Cuidado! ¡Que le van a atropellar a usted! —gritó un agente.

Y en efecto, venía un coche en sentido inverso al cortejo, haciendo mucho ruido. Velcháninov tuvo que saltar de lado, y la muchedumbre y otros coches interponiéndose, le llevaron más lejos. Escupiendo de contrariedad, volvió a su coche.

«Lo mismo da. Despúes de todo, no hubiera sido posible llevarle en ese estado», pensó, inquieto y en plena confusión.

Cuando le contó las historias de María Sisóyevna y el extraño encuentro en el entierro, Klavdia Petrovna quedó pensativa.

—Temo por usted —le dijo al fin—. Es preciso que rompa usted toda relación con ese hombre; y cuanto antes, mejor.

—¡Bah!, no es más que un borracho y un ser grotesco —exclamó Velcháninov con arrebato—. ¿Voy yo a tenerle miedo? Y ¿cómo quiere usted que rompa toda relación con él, estando Liza de por medio? ¡Usted no tiene en cuenta a Liza!

Liza estaba en cama y enferma. Le había dado la noche antes una fiebre muy alta, y estaban esperando al médico, un médico de fama, que habían mandado a buscar a la ciudad muy de mañana.

Al saber la noticia, Velcháninov se sintió completamente trastornado. Klavdia Petrovna le condujo al lado de la enferma.

—Me he fijado ayer en ella con mucha atención —le dijo, antes de entrar—; es huraña y de humor triste. Está avergonzada de encontrarse aquí, abandonada por su padre. A mi juicio, ésa es toda su enfermedad.

—¡Cómo! ¿Abandonada? ¿Por qué cree usted que la ha abandonado?

—¡Oh!, el solo hecho de haberla dejado venir aquí a una casa enteramente desconocida, con un hombre... casi tan desconocido como la casa, o por lo menos...

—Pero ¡si soy yo quien la he traído, casi a la fuerza! No veo...

—Sí, ya lo sé. Si no lo digo por mí, sino por Liza, que es una niña, y ve las cosas a su modo... Por mi parte, estoy segura de que él no vendrá nunca.

Cuando Liza vio que Velcháninov había venido solo no se sorprendió. Sonrió tristemente, y volvió hacia la pared su cabeza devorada por la fiebre. No contestó a las tímidas palabras de consuelo ni a las solemnes promesas de Velcháninov, que se comprometió a traerle a su padre al día siguiente sin falta; pero en cuanto él hubo salido, se echó a llorar.

Hasta el anochecer no llegó el médico. Apenas había examinado a la enferma, cuando asustó a todo el mundo, declarando que deberían de haberlo llamado antes. Le dijeron que hasta la víspera por la noche no había caído enferma, y al principio no quiso creerlo.

—Todo depende de cómo pase la noche —pronosticó al fin.

Hizo una receta y se fue, prometiendo volver al día siguiente lo más temprano posible.

Velcháninov quería a toda costa quedarse a pasar la noche, pero Klavdia Petrovna le suplicó que hiciera todavía otra tentativa para traer a aquella «fiera».

—¡Lo que es esta vez —afirmó Velcháninov, arrebatadamente—, lo que esta vez, vendrá, aunque tuviera que traerlo atado!

La idea de cogerlo, atarlo, y traerlo como un fardo se apoderó de él hasta obsesionarle.

—¡Desde este momento no me siento culpable ni tanto así respecto a él! —aseguró a Klavdia Petrovna, despidiéndose; y añadió, indignado—: ¡Reniego de todas mis sensiblerías y lloriqueos de ayer!

Liza, al parecer, se encontraba un poco mejor. Con los ojos cerrados, inmóvil, parecía dormir. Cuando Velcháninov se inclinó sobre ella, con precaución, para besar algo suyo, aunque sólo fuera el borde de su camisón, antes de irse, abrió los ojos de pronto como si le hubiese oído, y le dijo muy quedo:

—¡Lléveme con usted!

Era una súplica dulce y triste, sin nada de la irritación exaltada de la víspera, pero en la que se sentía una especie de resignación, como la certidumbre de que su ruego no sería atendido. Cuando Velcháninov, desesperado, empezó a explicarle que era imposible, cerró los ojos y no dijo ya nada, como si no le oyese ni viese.

Apenas de vuelta en la ciudad, se fue derecho a Pokrov. Serían las diez; Pável Pávlovich no había vuelto. Velcháninov le esperó una media hora, yendo y viniendo por el corredor, en un estado de impaciencia dolorosa. María Sisóyevna acabó por hacerle comprender que Pável Pávlovich seguramente no volvería hasta la mañana siguiente.

—Volveré, pues, al amanecer.

Y se dirigió hacia su casa.

Se quedó de una pieza, al llegar, cuando Mavra le dijo que el señor de la víspera estaba aguardándole desde las diez.

—Ha tomado té con nosotras, y luego ha mandado a buscar vino, como ayer, dándome un billete de cinco rublos.

IX

VISIÓN

Pável Pávlovich se había instalado con toda comodidad. Sentado en la misma silla de la otra noche, fumaba un pitillo y acababa de servirse la cuarta y última copa de la botella. Encima de la mesa, a su lado, estaban la tetera y la taza, casi intacta. Su cara congestionada resplandecía de satisfacción. Se había quitado la americana, quedándose en mangas de camisa.

—Usted me dispensa, ¿verdad, amigo mío? —exclamó al ver a Velcháninov, levantándose para ponerse de nuevo la americana—; me la había quitado para estar más cómodo...

Velcháninov se dirigió hacia él con aire amenazador.

—¿Sigue usted completamente borracho? ¿o está usted todavía en estado de entender lo que se le diga?

Pável Pávlovich titubeó un instante.

—Hombre... no... no del todo... He cumplido mis últimos deberes con el difunto, y... no, no del todo.

—Bueno; ¿se siente usted capaz de comprenderme?

—Precisamente para eso he venido, para comprenderle...

—En ese caso —dijo Velcháninov con voz apagada por la cólera—, en ese caso, empezaré por decirle terminantemente que es usted un miserable.

—Si así empieza usted, ¿cómo demonios va a concluir? —repuso Pável Pávlovich, un tanto desconcertado.

Pero Velcháninov prosiguió sin oírle:

—Su hija se muere, está gravísima. ¿La ha abandonado usted del todo, si o no?

—¿Moribunda...? ¿De verdad?

—Está mal, muy mal, gravemente enferma.

—¡Oh!, acaso una simple crisis...

—¡Vamos, no diga usted estupideces! Está muy grave. Ya debería usted haber ido, aunque sólo fuese para...

—¿Para dar las gracias por la hospitalidad? ¡Sí, de sobra lo sé! Aléksieyi Ivánovich, amigo mío, mi único amigo —tartamudeó, cogiéndole la mano entre las suyas, con un enternecimiento de beodo, asomándole las lágrimas a los ojos, y como si implorase perdón—, Aléksieyi Ivánovich, no grite usted, no grite... ¡Así me muera en el acto, así me caiga al Neva en este instante...! ¿Para qué, en las circunstancias actuales...? En cuanto a los Pogoriétsev, siempre hay tiempo...

Una vez recobrado Velcháninov, consiguió dominarse.

—Está usted borracho, y no comprendo lo que quiere decir —replicó duramente—. Yo estoy siempre dispuesto a explicarme con usted, y es más, quiero que sea lo antes posible... Precisamente iba... Pero, antes que nada, le diré que tengo decidido que pase usted aquí la noche. Mañana por la mañana vendrá usted conmigo. ¡No espere que le suelte —gritó con voz autoritaria—; le ataré a usted si es preciso, y le llevaré con mis propias manos...! Vamos a ver: ¿le servirá a usted ese diván?

Y señalaba un diván ancho y muelle, que hacía pareja, arrimado a la pared de enfrente, con el que le servía de lecho a él.

—¡Oh!, lo mismo da, en cualquier parte...

—No, en cualquier parte, no. ¡En este diván! Aquí tiene usted sábanas, una colcha, una almohada... —Y diciendo y haciendo, sacó todo ello de un armario, tirándoselo a Pável Pávlovich, que tendía los brazos con aire resignado—. ¡Vamos, hágase usted la cama; enseguida!

Pável Pávlovich continuaba en el centro de la habitación, con los brazos cargados, como indeciso, sonriendo con una ancha sonrisa de borracho. A una segunda intimidación de Velcháninov, que amenazaba encolerizarse, puso manos a la obra precipitadamente. Apartó la mesa, y soplando y resoplando, desdobló y dispuso las sábanas. Velcháninov acudió en su ayuda. Se sentía satisfecho de la docilidad y la estupefacción de su huésped.

—Apure usted ese vaso y acuéstese —ordenó, comprendiendo que era preciso mandar—. ¿Es usted quien ha enviado a buscar vino?

—Sí, yo he sido... Sabía que usted se negaría a mandar otra vez por él, Aléksieyi Ivánovich.

—Bien, bien; no está mal que lo haya usted comprendido; pero hay todavía otra cosa que es preciso acabe usted de comprender. Le aseguro que mi resolución está tomada, y que estoy decidido a no soportar por más tiempo esas farsas y carantoñas de borracho.

—¡Oh!, puede usted estar tranquilo, Aléksieyi Ivánovich —replicó el otro, sonriendo—; ya sé de sobra que esas cosas no son posibles más que una vez.

Al oír esto, Velcháninov, que paseaba por el cuarto, se paró en seco delante de Pável Pávlovich, con actitud solemne.

—¡Hable usted claro, Pável Pávlovich! Usted es listo, lo repito; pero le aseguro que va usted por mal camino. Hable usted claro, con toda franqueza, y le doy mi palabra de honor de que contestaré a todas sus preguntas.

Pável Pávlovich sonrió de nuevo, con aquella amplia sonrisa que bastaba para exasperar a Velcháninov.

—¡Vamos! ¡Nada de subterfugios! Le tengo a usted calado hasta el fondo. Se lo repito: le doy mi palabra de honor de contestar a *todo*, y de darle todas las satisfacciones posibles... quiero decir, todas las satisfacciones, posibles o no... ¡Ah, cuánto me alegraría de que usted me comprendiese...!

—Pues bien, ya que es usted tan amable —dijo Pável Pávlovich, con cautela—, le confesaré que me ha intrigado mucho la palabra «feroz» que empleó usted ayer...

Velcháninov escupió en tierra, y siguió paseando, más aceleradamente, por el cuarto.

—¡No, no, Aléksieyi Ivánovich, no escupa usted porque yo tengo interés en saber eso! He venido ex profeso para saberlo... ¡Sí, hoy tengo la lengua de través, pero usted será indulgente! Hace tiempo leí algo en una revista, respecto a los individuos del tipo «feroz» y del tipo «bonachón»; esta mañana, sin querer, lo he recordado... sólo que ya no me acuerdo con exactitud de lo que decía; y, a decir verdad, tampoco acabé por entenderlo cuando lo leí... Por ejemplo: Stepán Mijaílovich, ¿era del tipo *feroz*, o del tipo *bonachón*? Me gustaría saberlo. Usted qué cree: ¿*feroz* o *bonachón*?

Velcháninov continuaba callado, paseando de arriba abajo. Bruscamente, se detuvo y habló con verdadera rabia:

—El hombre del tipo *feroz* es el hombre que se habría apresurado a echar veneno en la copa de Bagáutov, al brindar con él en honor de una amistad tan felizmente reanudada...

—¡Como hizo usted ayer conmigo! Pero ¡un hombre de esa especie no habría ido a acompañarle al cementerio, como usted ha hecho hoy, sabe Dios por qué motivos secretos, canallescos y viles; ni se habría permitido tanto aspaviento ridículo!

—Seguro que no habría ido —repuso Pável Pávlovich—; pero, realmente, usted me trata...

—¡El hombre del tipo *feroz* —prosiguió animadamente Velcháninov, sin prestar atención a nada— no es afectado, ni justiciero infalible y escrupuloso, ni estudia su caso, como un pedante, sacando de él materia para una lección; ni lloriquea, arrojándose al cuello del prójimo; ni se queda tan satisfecho del empleo de su tiempo...! Vamos a ver, dígame la verdad: ¿es cierto que quiso usted ahorcarse?

—¡Bah...!, sabe usted...., es muy posible; en un momento de embriaguez... No recuerdo... Pero, caramba, Aléksieyi Ivánovich, gentes como nosotros no pueden echar mano de un veneno. Aparte de que yo soy un funcionario muy estimado, tengo algún dinerillo, y no veo por qué no voy a pensar en casarme de nuevo...

—Además, con el veneno corre uno el riesgo de que le condenen a trabajos forzados.

—¡Naturalmente! Y es muy desagradable. Aunque ahora el Jurado no se oponga a reconocer muchas circunstancias atenuantes... Escuche usted, Aléksieyi Ivánovich, esta mañana en el coche me iba acordando de una historieta muy curiosa, que quiero contarle. Hace un momento hablaba usted de «los que se arrojan al cuello del prójimo». ¿Se acuerda usted, por casualidad, de Semió Petrovich Livtsov, que llegó a T... en tiempos de usted? Pues bien, tenía un hermano menor, un joven de Petersburgo, como él, que desempeñaba un destino en el Gobierno civil de V... y era muy considerado. Un día riñó con Golubenko, el coronel, en una reunión donde había una porción de señoras, entre ellas la novia de Livtsov. Éste se sintió muy humillado, pero se tragó la ofensa, y no dijo palabra. Poco después Golubenko le birló la dama, y la pidió en matrimonio. ¿Qué creerá usted que hizo Livtsov? Pues hacerse amigo íntimo de Golubenko; es más, se las arregló de modo que le nombraron testigo. El día de la boda desempeñó perfectamente su papel, pero cuando, después de la bendición nupcial, se acercó al recién casado para abrazarle y darle la enhorabuena, entonces, delante de todo el mundo, delante de tanta gente distinguida, saca mi Livtsov un cuchillo y le asesta una tremenda cuchillada en el vientre. Inútil decir que Golubenko cayó patas arriba... ¡Imagínese usted! ¡Su propio testigo! ¡Y no es eso todo! Lo mejor es que, después de la cuchillada, va y se echa en tierra, gritando:

«¡Ay, qué es lo que he hecho, Dios mío!», y llora, y se arranca los pelos, como un energúmeno, y se arroja al cuello de todo el mundo, incluso de las señoras. «¡Ay, qué es lo que he hecho...!» ¡Ja, ja, ja! Era para reventar de risa. ¡Si no hubiera sido por el pobre Golubenko! Aunque, según parece, logró salvar el pellejo...

—No veo a qué viene esa historia —dijo Velcháninov secamente, frunciendo el ceño.

—¡Oh, a nada! únicamente por la cuchillada —replicó Pável Pávlovich, todavía riendo—. No deja de tener gracia, ¿verdad?, un mocoso a quien el miedo hace faltar a todas las conveniencias, hasta el punto de arrojarse al cuello de las señoras, en presencia del gobernador... y que, sin embargo, acaba de clavarle a otro un cuchillo en el vientre... Nada más que por eso se lo contaba a usted.

—¡Al diablo! —aulló Velcháninov, con la voz muy cambiada, como si algo en su interior se hubiese roto—. ¡Al diablo con tanto equívoco y tanta insidia, embaucador, trapacero! Quiere usted meterme miedo, ¿eh? ¡Sinvergüenza, cobarde... cobarde... cobarde! —gritó exasperado, fuera de sí, teniendo que tomar aliento a cada palabra.

El ultraje pareció transfigurar a Pável Pávlovich. Su embriaguez se desvaneció instantáneamente; los labios le temblaban.

—¿Y es usted, Aléksieyi Ivánovich, *usted*, quien me trata a mí de cobarde?

Velcháninov ya se había dominado.

—Estoy dispuesto a presentarle mis excusas —dijo, después de un momento de reflexión, que le aterró—. Pero con una condición: que se decida usted, desde este momento, a proceder con toda lealtad.

—Yo, en su lugar, Aléksieyi Ivánovich, habría presentado excusas, sin condiciones.

–¡Bueno, sea como usted quiera...! (Pausa breve.) Le presento a usted mis excusas; pero usted mismo convendrá, Pável Pávlovich, en que, después de todo esto, puedo considerarme en paz con usted... Y no me refiero sólo a este incidente, sino a *todo* lo ocurrido.

–Pero... ¿qué cuenta puede haber pendiente entre nosotros, Aléksieyi Ivánovich? –preguntó Pável Pávlovich, con una sonrisa burlona y la mirada clavada en el suelo.

–¡Bien, ya que es así, tanto mejor, tanto mejor! Vamos, acabe usted de beberse esa copa, y acuéstese. Estoy completamente decidido a no dejarle marchar...

–¡Ah, sí, el vino...! –dijo Pável Pávlovich, un tanto confuso, acercándose a la mesa.

Quizás había bebido ya demasiado; el caso es que le temblaba la mano y que derramó parte del contenido, manchándose la camisa y el chaleco. Sin embargo, apuró hasta la última gota, como si le pesara dejar algo. Luego depositó la copa sobre la mesa, con mucho cuidado, y fue dócilmente a su diván, para desnudarse.

–Pero... ¿no sería preferible... que no pasara aquí la noche? –preguntó de pronto.

–¡De ningún modo! ¡No, señor, no sería preferible! –respondió violentamente Velcháninov, que paseaba por el cuarto, sin mirarle.

El otro acabó de desnudarse y se metió en la cama. Un cuarto de hora después se acostó también Velcháninov, al tiempo que apagaba la bujía.

Se adormeció a los pocos minutos, pero sin conseguir recobrar el sosiego. Algo nuevo, más difuso aún que todo el resto, algo que nunca había previsto, le oprimía ahora. Al mismo tiempo, se sentía como avergonzado de esta angustia.

Iba ya a quedarse dormido, cuando le despertó un ruido. Dirigió inmediatamente la vista hacia el diván de Pável

Pávlovich. A pesar de la oscuridad (corridas como estaban las cortinas), creyó ver que Pável Pávlovich se había incorporado en la cama.

—¿Qué le pasa? —preguntó Velcháninov.

—¡La sombra! —musitó Pável Pávlovich, al cabo de un momento, con voz sorda, apenas perceptible.

—¿Cómo, qué sombra?

—Ahí, en el otro cuarto, junto a la puerta, me ha parecido ver una sombra.

—¿La sombra de quién? —preguntó Velcháninov, después de un silencio.

—De Natalia Vasílievna...

Velcháninov saltó de la cama, echó un vistazo por el pasillo, luego por el cuarto de al lado, cuya puerta continuaba abierta. Esta habitación no tenía cortinas en las ventanas, que dejaban entrar un poco de claridad.

—¡No hay nada en ese cuarto; está usted borracho; duérmase! —ordenó Velcháninov, volviendo a la cama y arropándose.

Pável Pávlovich se dejó caer también sobre la almohada, sin decir palabra.

—¿Es que ha visto usted fantasmas alguna vez? —preguntó, de pronto, Velcháninov, al cabo de diez minutos.

—Una sola vez —contestó Pável Pávlovich, con voz apagada.

Luego, todo quedó de nuevo en silencio.

Velcháninov no sabía exactamente, si dormía o no. Así transcurrió una hora. De pronto, se estremeció. Esta vez no era un ruido lo que le había despertado. Creyó ver allí, a pocos pasos, en el centro de la habitación, en medio de la oscuridad, una forma blanca. Incorporándose en la cama, miró fijamente en aquella dirección durante un minuto entero.

—¿Es usted, Pável Pávlovich? —dijo, al fin, débilmente.

Esta voz alterada, en el silencio y las tinieblas, le causó a él mismo una impresión extraña.

No obtuvo respuesta; pero no había la menor duda: allí había alguien, en pie.

—¿Es usted, Pável Pávlovich? —repitió más fuerte; tan fuerte, que Pável Pávlovich, de haber estado durmiendo tranquilamente en su cama, seguramente se habría despertado sobresaltado y respondido a la pregunta.

Tampoco hubo respuesta; pero le pareció que la forma blanca, ahora casi precisa, se movía en dirección a él. Entonces ocurrió una cosa muy singular: de pronto, experimentó la misma sensación que hacía un momento, la sensación de que algo se rompía en su interior, y gritó, con todas sus fuerzas, con una voz ronca, estrangulada, ahogándose casi a cada palabra:

—¡Borracho ridículo; si te figuras que vas a darme miedo...! Me voy a volver hacia la pared, y a envolverme hasta la cabeza en la colcha, y a estarme así toda la noche... para demostrarte el caso que hago de ti... Puedes prolongar, si quieres, esta farsa hasta que amanezca... ¡Idiota!

Y escupió con rabia hacia lo que parecía ser Pável Pávlovich; luego, volvióse bruscamente hacia la pared, se tapó por completo con la colcha, y quedó inmóvil como un muerto. Se hizo un silencio terrible. Velcháninov no veía, no podía ver si el fantasma avanzaba hacia él o seguía quieto, y el corazón le palpitaba hasta romperse. Cinco minutos transcurrieron así. Luego, súbitamente, oyó, a dos pasos de distancia, la voz de Pável Pávlovich, débil y quejumbrosa:

—Soy yo, Aléksieyi Ivánovich, que me he levantado a buscar el... (y nombró un objeto indispensable). No encontré ninguno debajo de mi cama... y he venido lo más suavemente que he podido a ver si debajo de la de usted...

—¿Y por qué no ha contestado cuando llamé? —preguntó Velch, con voz entrecortada, después de una larga pausa.

–Tuve miedo. ¡Gritó usted de un modo...! Tuve miedo.

–Ahí, a la izquierda, junto al rincón... en la mesita de noche... Encienda usted la bujía...

–¡Oh!, ya no vale la pena... –dijo Pável Pávlovich, muy dulcemente–. Ya lo encontraré... Usted perdonará, Aléksieyi Ivánovich, que le haya molestado... Me he sentido de pronto completamente borracho...

Velcháninov no contestó. De cara a la pared, se pasó así toda la noche, sin hacer el menor movimiento. ¿Quería cumplir su palabra, y demostrarle que le despreciaba...? Ni él mismo sabía lo que pasaba en su interior; la sacudida había sido tan violenta, que todo él se sentía trastornado, y le costó un trabajo ímprobo conciliar el sueño

Serían las diez de la mañana cuando se despertó sobresaltado, incorporándose en la cama, como movido por un resorte, pero ¡Pável Pávlovich no estaba ya en el cuarto! La cama estaba vacía, en desorden. Había huido al amanecer.

–¡Estaba seguro! –exclamó Velcháninov, dándose una palmada en la frente.

X

EN EL CEMENTERIO

El médico había previsto bien: el estado de Liza empeoró más de lo que Velcháninov y Klavdia Petrovna presumieran la noche antes. Por la mañana, cuando llegó Velcháninov, la enferma estaba aún consciente, a pesar de estar ardiendo de fiebre. Más tarde juraba él que la niña le había sonreído y hasta tendido su mano. Fuera cierto, o simplemente una ilusión consoladora, ya no era tiempo de comprobarlo. Al llegar la noche, Liza había perdido el conocimiento, y así estuvo hasta el final. Al décimo día de su entrada en casa de los Pogoriétsev murió.

Los días que precedieron a su muerte fueron horribles para Velcháninov. Los Pogoriétsev llegaron a temer por su razón. Junto a ellos pasó la mayor parte de este período de angustia. Durante los últimos días se pasaba horas enteras en un rincón, solo, sin pensar en nada. Klavdia Petrovna venía a veces a distraerle, pero él apenas contestaba y hasta daba a entender que estas conversaciones le eran penosas. Nunca se hubiese figurado ella que Velcháninov pudiera sufrir tanto. Únicamente los niños conseguían distraerle, a veces hasta se reía con ellos, pero a cada instante se levantaba para ir de puntillas a ver a la enferma. En varias ocasiones se le antojó que ella le reconocía. No tenía ninguna esperanza de que se salvara; pero le era imposible alejarse del cuarto en que agonizaba, y generalmente se quedaba en la habitación contigua.

Dos veces en el curso de este período se sintió presa de una actividad imperiosa. Corrió a Petersburgo, fue a ver a los médicos más afamados y los reunió en consultas. La última tuvo lugar la víspera misma de la muerte. Tres días antes, Klavdia Petrovna le había dicho que era preciso, a toda costa, encontrar a Trusotskii: «En caso de una desgracia, hasta sería imposible enterrarla sin la presencia de su padre.» Velcháninov había contestado distraídamente que iba a escribirle. Pogoriétsev declaró entonces que le haría buscar por la Policía. En vista de eso, acabó Velcháninov por escribirle una esquela sumamente lacónica, que llevó en persona al hotel. Pável Pávlovich no estaba, como de costumbre, y se vio obligado a confiar la carta a María Sisóyevna.

Al fin murió Liza, durante un admirable atardecer, mientras el sol se ponía.

Fue para Velcháninov como si saliera de un sueño. Cuando le pusieron un vestidito blanco, el vestido de los días de fiesta de una de las niñas de la casa, y la acostaron, con las manos juntas, sobre la mesa grande del salón, toda cubierta de flores, se acercó a Klavdia Petrovna y, con los ojos relampagueantes, le dijo que iba a buscar al *asesino* y a traerle inmediatamente. No quiso atender consejo alguno, negándose a aplazarlo para el día siguiente, y partió en dirección a la ciudad.

Sabía dónde encontrar a Pável Pávlovich. Cuando, durante aquellos últimos días, había venido a Petersburgo, no era sólo para consultar médicos. A veces pensaba que si consiguiese traer a Liza su padre, ella volvería a la vida sólo con oír su voz. Pero, luego, desanimado, había renunciado a buscarle.

Pável Pávlovich seguía viviendo en el mismo sitio, pero no había forma de encontrarlo en casa. «A veces se está tres días seguidos sin dormir aquí, y hasta sin que se le vea el pelo –contaba María Sisóyevna–; y cuando viene, el muy borracho, apenas si está una hora. ¡Todo le tiene ya sin cuidado, al muy indecente!» El mozo del hotel informó a Velcháninov de que ya hacía tiempo que Pável Pávlovich andaba enredado con unas perdidas que vivían en Voznesenskii Próspeckt.

Poco trabajo le costó a Velcháninov dar con ellas. Después de bien convidadas y regaladas, recordaron fácilmente al cliente —el sombrero de la gasa negra les había llamado mucho la atención—, y se quejaron amargamente de que ya no lo veían. Una de ellas, Katia, declaró que «era muy sencillo encontrar a Pável Pávlovich», ya que ahora no se separaba un momento de Maschka Projvóstova. Katia no creía poder dar con ellos en seguida; pero lo prometió con toda formalidad para el día siguiente. Así, Velcháninov se vio obligado a contar con su ayuda.

Volvió, pues, al día siguiente, a las diez, a recoger a Katia, y con ella se puso a buscarlo, sin saber siquiera lo que haría con Pável Pávlovich: si lo dejaría muerto en el sitio, o se contentaría con anunciarle la muerte de su hija, y explicarle que su presencia en el entierro era indispensable. Las primeras pesquisas fueron infructuosas, enterándose de que hacía tres días que Maschka había reñido con Pável Pávlovich tirándole un banquillo a la cabeza.

Al fin, a eso de las dos de la mañana, en el momento en que salía de una taberna que le habían indicado, se topó con él.

Pável Pávlovich iba completamente borracho. Dos mujeres le arrastraban hacia la taberna, sosteniéndolo una de ellas por el brazo. Un fornido mocetón les pisaba los talones, gritando furiosos denuestos contra Pável Pávlovich. Entre otras cosas, aullaba «que lo había explotado miserablemente, y envenenado su vida...» Sin duda, se trataba de dinero. Las mujeres tenían un miedo tremendo, y se daban toda la prisa que podían.

En cuanto divisó a Velcháninov se arrojó sobre él Pável Pávlovich, con las manos tendidas, gritando como si le degollasen:

—¡Socorro, hermano, socorro!

El mocetón que le seguía, apenas hubo visto la terrible silueta de Velcháninov, desapareció en un santiamén. Pável Pávlovich, orgulloso de su victoria, le mostró el puño, lanzando gritos de triunfo; pero Velcháninov le cogió violentamente por los hombros y, sin saber él mismo por qué, se puso a sacudirlo con toda la fuerza de sus brazos, hasta el punto de hacerle dar diente con diente.

Pável Pávlovich dejó inmediatamente de gritar, clavando en él los ojos con una estupefacción idiota de borracho.

Velcháninov, no sabiendo, sin duda, qué hacer con él, le sentó de golpe sobre un banco de piedra.

—¡Liza ha muerto! —gritó.

Pável Pávlovich continuaba mirándole, sentado sobre el banco y mantenido en equilibrio por una de las mujeres. Al fin, acabó por comprender. Se le puso terrosa la cara, y todas sus facciones parecieron sumirse y descomponerse.

—¡Muerta...! —exclamó, con una voz muy extraña,

Si fue simplemente su amplia y blanda sonrisa de borracho, o si hubo, en efecto, un no sé qué perverso y taimado que pasó por sus ojos, es cosa que Velcháninov no pudo poner en claro.

Al cabo de un momento, Pável Pávlovich levantó con gran trabajo la mano derecha, para hacer la señal de la cruz; pero ésta quedó a medio hacer, y la mano, toda temblorosa, cayó pesadamente. Al cabo de otra breve pausa se levantó con gran esfuerzo del banco, agarrándose a la mujer, y apoyado en ella pretendió seguir adelante, como si nada hubiese ocurrido, sin hacer caso de Velcháninov.

Éste le aferró de nuevo por los hombros.

—¿Acabarás de comprender, bestia de borracho, que no pueden enterrarla sin ti? —gritó, ahogándose de furor.

El otro volvió la cabeza hacia él.

—El teniente... ¿sabe usted...? el teniente de Artillería... —tartamudeó, con lengua estropajosa.

—¿Qué? —gritó Velchaninov, con voz temblorosa.

—¡Que es el padre! Búsquelo... para el entierro.

—¡Mientes, canalla! —aulló Velchaninov, presa de una rabia frenética—. ¡Ya sabía yo que me saldrías con ésa!

Y fuera de sí, levantó el puño sobre la cabeza de Pável Pávlovich. Un momento más, y lo acogotaba. Las mujeres, lanzando gritos estridentes, se apartaron a un lado. Pero Pável Pávlovich no hizo el menor movimiento; todo su rostro se contrajo en una expresión de maldad salvaje y de bellaquería.

—¿Sabes —dijo con voz firme, como si la embriaguez le hubiese abandonado—, sabes lo que decimos en ruso? (Y pronunció una palabra que no puede transcribirse). ¡Toma, para ti...! ¡Y ahora, a marcharse; y de prisita!

Tan violentamente se desprendió de manos de Velchaninov, que estuvo a punto de caerse cuan largo era. Las mujeres le sostuvieron y se lo llevaron apresuradamente, casi a rastras. Velchaninov no los siguió.

Al día siguiente, a la una de la tarde, se presentó en casa de los Pogoriétsev un señor muy correcto, de edad madura, vestido con uniforme de funcionario. Muy cortésmente entregó a Klavdia Petrovna un paquetito a su nombre, de parte de Pável Pávlovich Trusotskii. El paquetito contenía una carta, trescientos rublos y los papeles necesarios para el entierro de Liza.

La carta era breve, muy deferente y de una perfecta corrección. Expresaba toda su gratitud a Su Excelencia Klavdia Petrovna por la bondad y el interés que había demostrado a la huérfana, y que «sólo Dios podría pagarle». Explicaba en términos vagos que una indisposición bastante grave no le permitía venir en persona al entierro de su pobre y muy querida hija, y que delegaba para todo lo preciso en la angelical bondad de Su Excelencia. Los trescientos rublos, añadía, representaban los gastos del entierro y los ocasionados por la enfermedad; si la suma era excesiva, le rogaba muy respetuosamente que se «destinara lo sobrante» a la celebración de unas misas por el eterno descanso del alma de Liza.

El funcionario que traía la carta no pudo añadir nada. Claramente se deducía, por las pocas palabras que pronunció, que Pável Pávlovich había tenido que insistir fuertemente para hacerle aceptar la misión. La frase «los gastos que hubiera ocasionado la enfermedad» exasperó a Pogoriétsev, que evaluó los gastos del entierro en cincuenta rublos —no era posible impedir a un padre que costeara el entierro de su hija—, y quiso devolver de inmediato al señor Trusotskii los doscientos cincuenta restantes. Al fin, Klavdia Petrovna decidió que, en lugar de devolvérselos, se le remitiría un recibo de la iglesia atestiguando que los doscientos cincuenta rublos habían sido consagrados a la celebración de oficios por el eterno descanso del alma de la niña. Recibo que, en efecto, fue entregado a Velcháninov, quien lo envió por correo a Pável Pávlovich.

Después del entierro, desapareció Velcháninov. Dos semanas estuvo vagando por la ciudad, sin rumbo fijo, solo, absorto, hasta el punto de tropezar por la calle con los transeúntes. A veces se pasaba el día entero echado en su diván, olvidado hasta de las cosas más elementales. Los Pogoriétsev, más de una vez le invitaron insistentemente; pero Velcháninov prometía y luego no se acordaba. Klavdia Petrovna fue un día en persona a verle; pero no le encontró en casa. Su abogado fue el único que consiguió dar con él: al fin su asunto parecía tocar a su desenlace; la parte contraria consentía en un arreglo; bastaba renunciar a una parcela insignificante de la propiedad.

Sólo faltaba el consentimiento de Velcháninov. Estupefacto quedó el abogado, al encontrar una indiferencia tan absoluta en el cliente minucioso y turbulento de antes.

Habían llegado ya los días más calurosos de julio; pero Velcháninov ni siquiera se daba cuenta de ello. Sufría, sin tregua, de un dolor acerbo como un absceso maduro. Le atormentaban sin tregua ciertas ideas, que no conseguía ahuyentar. Su mayor pena era que Liza no hubiese tenido tiempo de conocerle, que hubiera muerto sin saber hasta qué punto la quería. El fin único de su vida, ese fin que había entrevisto en un momento de júbilo, se había sumido para siempre en las tinieblas. Ese fin que él había soñado, y en el que pensaba ahora sin cesar, era que Liza hubiese sentido en todo momento, durante todos los días de su vida, la ternura que él tenía por ella. «¡Sí —meditaba a veces, con una exaltación desesperada—, sí; no hay en el mundo motivo más elevado de existencia! ¡Ninguno tan sàgrado! Ayudado por mi amor a Liza, yo habría purificado y rescatado todo mi pasado absurdo e inútil; yo habría educado para la vida a un ser puro y bueno, y a causa de este ser, todo me habría sido perdonado; hasta yo mismo me habría absuelto de todo...»

Estos pensamientos venían siempre acompañados de la visión clara, cercanísima y conmovedora de la niña muerta. Veía su pobre carita, tan pálida; veía su expresión. La veía en el ataúd, en medio de las flores; la veía sin conocimiento, devorada por la fiebre, con los ojos fijos, muy abiertos. Recordaba la emoción profunda que había experimentado al verla tendida sobre la mesa y recordaba haber observado que uno de sus dedos se había vuelto casi negro. La vista de aquel pobre dedito le había inspirado un violento deseo de buscar acto seguido a Pável Pávlovich, para matarlo sin más explicaciones. ¿Era su dignidad humillada lo que había destruido aquel pobre corazón de niña, o bien aquellos tres meses de sufrimientos que le había hecho soportar su padre, el amor de pronto cambiado en odio, las palabras de desprecio, el desdén por sus lágrimas, y, por último, su abandono en manos de unos extraños...?

Todo aquello se lo representaba, sin cesar, bajo mil formas distintas... «¿Sabe usted lo que Liza ha sido para mí?» Recordó aquel grito de Trusotskii, y comprendió que no había sido un latiguillo, que su desgarramiento era sincero, y que acaso escondía una gran ternura. «¿Cómo habrá podido ese monstruo ser tan cruel con un ser al que adoraba? ¿Es creíble esto?» Pero siempre acababa por esquivar este interrogante. Había en ella un terrible elemento de incertidumbre, algo insoportable e insoluble.

Un día, sin saber él mismo cómo, llegó al cementerio en que estaba enterrada Liza. Desde la tarde del entierro no había vuelto. Temía que el dolor fuera demasiado fuerte, y no se atrevía. Cosa extraña, después de haberse inclinado y besado la lápida que la cubría, sintió menos oprimido el corazón. Era un espléndido atardecer; el sol se ocultaba ya en el horizonte; alrededor de la tumba crecía una hierba verde y lozana; muy cerca, zumbaba una abeja, revoloteando de garbanzo en garbanzo; las flores y las coronas que los hijos de Klavdia Petrovna habían depositado sobre la tumba todavía estaban allí, medio deshojadas. Por vez primera, desde hacía mucho tiempo, iluminó su corazón cierta esperanza. «¡Qué bien se está aquí!», pensó, sintiéndose invadido por la paz del cementerio y contemplando el cielo claro y tranquilo. Sintió afluir una especie de alegría pura y fuerte, que le anegó el alma. «Liza es quien me envía esta paz; ella es quien me esta hablando», pensó.

Era noche cerrada cuando salía del cementerio. Muy cerca de la puerta, al borde de la carretera, vio una casucha de madera que servía de taberna. Las ventanas estaban abiertas

de par en par. Las mesas estaban llenas de gente bebiendo.
De pronto, le pareció que uno de ellos, que miraba por la ventana, era Pável Pávlovich, que le había visto y le examinaba
con curiosidad. Continuó su camino sin hacer caso; pero no
tardó en oír pasos detrás, como de alguien que tratase de darle alcance. Era Pável Pávlovich, en efecto. Sin duda, el aspecto pacífico de Velchaninov le había dado ánimos. Le abordó,
con ademán un tanto temeroso, sonriendo, pero no con su
sonrisa de antes, no. En aquel momento no estaba borracho.

—Buenas noches —dijo.

—Buenas noches —contestó Velchaninov.

XI

PÁVEL PÁVLOVICH QUIERE CASARSE

Al mismo tiempo que contestaba «buenas noches» quedó sorprendido Velcháninov de lo que sentía. Le parecía extraño ver ahora a este hombre sin la menor cólera, sintiendo hacia él algo distinto, como si le nacieran otros sentimientos.

—¡Hermosa noche! —dijo Pável Pávlovich, mirándole directamente a los ojos.

—Pero, ¿no se había marchado usted? —repuso Velcháninov, más en tono de reflexión que de pregunta, y sin detenerse.

—Ha habido dificultades; pero al fin he conseguido el destino con aumento de sueldo. Seguramente me iré mañana.

—¿Que ha conseguido usted el destino? —dijo Velcháninov, esta vez ya preguntando.

—¿Y por qué no? —replicó Pável Pávlovich con una mueca.

—¡Oh!, por nada; lo decía por decir... —se excusó Velcháninov, frunciendo el entrecejo y mirando de soslayo a Pável Pávlovich.

Quedó vivamente sorprendido al observar que el traje, el sombrero con su gasa negra y todo el exterior de Trusotskii estaban incomparablemente más presentables que dos semanas antes. «Pero ¿por qué demonio se encontraba en esa taberna?», pensó.

—Tengo también que comunicarle otra buena noticia, Aléksieyi Ivánovich —añadió Pável Pávlovich.

—¿Una buena noticia?

—Sí... me caso.

—¡Cómo!

—Tras el dolor, la alegría... ¡Así es la vida! Yo, querría..., Aléksieyi Ivánovich... pero temo... Usted, según parece, lleva prisa...

—Sí, sí, tengo mucha prisa, y además.., no me encuentro nada bien.

Bruscamente se había apoderado de él un violento deseo de desembarazarse de Pável Pávlovich. Todos sus buenos propósitos se desvanecían.

—Pues, sí; yo bien hubiera querido...

Pável Pávlovich no acababa de decir lo que él hubiera querido. Velcháninov seguía en silencio.

—En fin, otra vez será; si tengo el gusto de volver a verle...

—Sí, sí, otra vez —se apresuró a decir Velcháninov, sin mirarle ni detenerse.

Callaron un momento. Pável Pávlovich continuaba caminando a su lado.

—Bueno, ¡hasta la vista! —dijo al fin.

—Hasta la vista; espero que...

Velcháninov volvió a su casa, otra vez trastornado. El contacto de «aquel hombre» le era decididamente insoportable. Era más fuerte que él. Mientras se acostaba, se preguntaba aún: «¿Qué estaría haciendo junto al cementerio?»

A la mañana siguiente, resolvió, al fin, ir a casa de los Pogoriétsev. Le costaba trabajo decidirse; toda simpatía, hasta la de ellos, le era ya enojosa. Pero estaban tan inquietos de no verle, que no había más remedio que ir. De pronto, pensó que acaso le sería demasiado violento encontrarse de nuevo con ellos. «¿Qué hago? ¿Voy, o no voy?», reflexionaba, acabando de desayunar, cuando, con enorme asombro suyo, entró Pável Pávlovich.

A pesar del encuentro de la víspera, aguardaba tan poco la visita de este hombre, y se quedó tan desconcertado, que le miró sin encontrar palabra que decirle. Pero Pável Pávlovich no se azoró lo más mínimo. Le saludó como si tal cosa y se sentó en la misma silla en que había estado sentado la última noche, hacía tres semanas. Inmediatamente acudió el recuerdo de esta visita al espíritu de Velchâninov, que miró a su huésped con inquietud y repugnancia.

—¿Le sorprende a usted? —comenzó Pável Pávlovich, notando la mirada de Velchâninov.

Su actitud era más segura que la víspera, y al mismo tiempo se notaba que se sentía más intimidado. Su aspecto bastaba para llamar la atención. Iba vestido muy rebuscadamente, con chaqué, pantalón claro muy ceñido, chaleco de fantasía, guantes, unas gafas de oro, una camisa irreprochable y todo él muy perfumado, con un no se qué de ridículo, extraño y desagradable.

—Sí, Aléksieyi Ivánovich —prosiguió, inclinándose—; mi visita le sorprende; no trate de ocultarlo. Pero, a mi juicio, hay cosas que no pueden olvidarse tan fácilmente, y de las que siempre queda algo... ¿No le parece a usted?, algo que está por encima de todas las eventualidades y todas las desavenencias posibles... ¿no le parece?

—Mire usted, Pável Pávlovich, le agradeceré que me diga rápidamente y sin frases lo que tenga usted que decirme —replicó Velchâninov, frunciendo el ceño.

—Bueno; en dos palabras: me caso. Voy ahora a casa de mi novia, al campo. Quisiera que me hiciese usted el honor de permitirme que le presente en esa casa, y he venido a rogarle, a suplicarle —y bajó la cabeza humildemente— que me acompañe...

—¿Acompañarle? ¿Adónde? —preguntó Velchâninov, abriendo mucho los ojos.

—A su casa, al campo. Usted perdonará; me expreso mal, con una precipitación febril; pero ¡tengo tanto miedo de que vaya usted a negarse!

Y miraba a Velcháninov con ojos suplicantes.

—¿Que quiere usted que yo le acompañe ahora a casa de su novia? —repitió Velcháninov, estupefacto, sin dar crédito a sus oídos ni a sus ojos.

—Sí —dijo Pável Pávlovich, tímidamente—. Por favor, Aléksieyi Ivánovich, no se enfade usted; no vea en ello un atrevimiento, sino sólo una súplica humildísima. Yo me había hecho ilusiones de que acaso usted no se negase...

—¡Imposible! ¡Completamente imposible! —interrumpió Velcháninov, muy agitado.

—Tengo verdadero interés en ello —insistió el otro, en tono suplicante—, y no le ocultaré el motivo. Yo hubiera preferido decírselo luego, pero le suplico, con la mayor humildad...

Y se levantó respetuosamente.

—¡Imposible! ¡Sea el que sea, usted mismo debe comprender que es imposible! —exclamó Velcháninov, levantándose a su vez.

—¿Y por qué, Aléksieyi Ivánovich? No veo por qué va a ser imposible. Yo quería presentarle. Se trata del señor Zajlebinin, consejero de Estado.

—¡Cómo! —dijo Velcháninov, con sorpresa.

Era el consejero de Estado que él tratara inútilmente de ver dos meses antes, y que representaba en su pleito a la parte contraria.

—Lo que usted oye —contestó Pável Pávlovich, sonriendo, como si la viva sorpresa de Velcháninov le animase—, lo que usted oye. El mismo con quien hablaba usted una vez que nos encontramos, y yo me paré a mirarle, ¿no se acuerda? Yo esperaba, para abordarle, que se fuera usted. Hemos sido colegas hace dos años; cuando me acerqué a saludarle, después que usted se fue, aún no tenía la menor idea... La idea se me ocurrió de pronto, hace ocho días...

—Pero, oiga usted, ¿no son gente «bien»? —preguntó Velcháninov, ingenuamente.

—Sin duda, ¿y qué? —replicó Pável Pávlovich, torciendo el gesto.

—¡Oh!, nada; no es que... pero me pareció notar, cuando estuve en su casa...

—Sí, ellos también se acuerdan de que usted estuvo en su casa —interrumpió Pável Pávlovich, con una precipitación llena de regocijo—; sólo que no vio usted a la familia. El padre le recuerda perfectamente, y le tiene en gran estima. Yo le he hablado de usted en los términos más entusiastas.

—Pero, ¿cómo es posible que habiendo enviudado hace nada más que tres meses...?

—¡Oh!, la boda no se celebrará en seguida. Lo más pronto dentro de nueve o diez meses, que ya habrá terminado mi luto. Puede usted estar seguro de que todo marchará como sobre ruedas. Primero, Fedosieyi Petróvich me conoce desde la infancia, conoció a mi mujer, sabe cómo he vivido, cuál ha sido mi carrera; además, tengo cierta fortuna, acabo de obtener un destino con aumento de sueldo... En fin, que todo va bien.

—¿Y es su hija...?

—Ya le contaré los pormenores —dijo Pável Pávlovich, con el tono más amable del mundo—. Permítame usted que encienda un pitillo. Por otra parte, usted mismo ha de verlo hoy. Aquí en Petersburgo, sabe usted, se acostumbra a evaluar la fortuna de los funcionarios como Fedosieyi Petróvich por la importancia de sus destinos. Pues bien, aparte de su sueldo y el resto —suplementos de todo género, gratificaciones, indemnizaciones por concepto de casa y comida, y lo que caiga—, no tiene un céntimo. Viven muy bien, hasta con lujo; pero con una familia tan numerosa no hay ahorro posible. ¡Figúrese usted: ocho hijas y un hijo pequeño! Si él se muriese ahora, no les quedaría más que una miserable pensión. ¡Y ocho hijas! ¡Figúrese usted! Sólo un par de zapatos para cada una, piense usted a lo que sube. Cinco de ellas ya son casaderas. La mayor tiene veinticuatro años (una muchacha preciosa, ya verá usted); la sexta tiene quince y está todavía en el colegio ¡Cinco hijas a quienes buscar marido! Y lo antes posible, pues el padre tiene que presentarlas en sociedad, y figúrese usted lo que esto supone. Así que cuando yo me presenté como pretendiente, el padre, que me conocía desde hacía tiempo, y sabía el estado de mi fortuna...

Pável Pávlovich hablaba con una especie de embriaguez. Velchâninov le interrumpió:

—¿Y es la mayor la que usted ha pedido?

—No... la mayor, no; he pedido a la sexta, la que está todavía en el colegio.

—¿Cómo? —exclamó Velchâninov, con una sonrisa involuntaria—. ¡Si acaba usted de decirme que tiene quince años!

—Quince años ahora; pero dentro de diez meses tendrá dieciséis, dieciséis y tres meses. ¡Una edad excelente...! Ella todavía no sabe nada. No sería prudente. Hemos convenido la cosa entre los padres y yo... ¿Qué, no le parece a usted todo perfectamente?

—Entonces, ¿no hay nada decidido?

—¿Decidido? Naturalmente; todo está decidido. ¿Verdad que es muy acertado?

—¿Y ella no sabe nada?

—Ni una palabra. Es decir, a ella no le han dicho nada; pero se debe sospechar algo —dijo Pável Pávlovich, guiñando amablemente un ojo—. ¿Qué, me hará usted ese favor, Aléksieyi Ivánovich? —concluyó, muy humildemente

—Pero ¿qué quiere usted que yo vaya a hacer allí? Además —añadió precipitadamente—, como de todos modos no iré, es inútil buscar razones que puedan convencerme.

—¡Aléksieyi Ivánovich...!

—Pero, vamos a ver, ¿cree usted que yo puedo ir a ningún sitio con usted? ¡Tenga usted un poco de sentido común!

Distraído un momento por la charla de Pável Pávlovich, sentía que volvían a apoderarse de él su antipatía y su aversión. Con gusto le habría plantado en la calle. Estaba profundamente descontento de sí mismo.

—Vamos a ver, querido Aléksieyi Ivánovich, venga usted aquí, a mi lado, y no se agite, por favor —suplicó Pável Pávlovich con voz lacrimosa—. ¡No, no! —añadió, contestando a un gesto resuelto de Velcháninov—. ¡No, Aléksieyi Ivánovich, no se niegue usted así, en redondo...! Veo que no me ha entendido usted bien. Ya sé yo que no podemos ser camaradas; no crea usted que soy tan tonto para no comprenderlo. El favor que le pido a usted ahora no le compromete lo más mínimo para el futuro. Yo me voy pasado mañana, para siempre, y todo quedará como estaba. Será un hecho aislado, sin consecuencias. Yo he venido a usted, confiando en la nobleza de sus sentimientos, que quizá los últimos sucesos han despertado en su corazón... Ya ve usted si le hablo con sinceridad. ¿Me dirá usted todavía que no?

Pável Pávlovich estaba extraordinariamente agitado. Velcháninov le miraba, con un asombro rayano en la estupefacción.

—Me pide usted un favor de tal naturaleza, y con tal insistencia, que forzosamente es para desconfiar. Necesito saberlo todo.

—El único favor que le pido es que me acompañe. Al regreso se lo contaré todo, como a un confesor. ¡Aléksieyi Ivanovich, confíe usted en mí!

Pero Velcháninov persistía en negarse. Se negaba con tanta más tenacidad, cuanto que sentía crecer en él un mal pensamiento. Había germinado sordamente en él, desde el mismo momento en que Pável Pávlovich empezara a hablarle de su novia. ¿Era una simple curiosidad, o bien otro impulso, todavía oscuro? El caso es que sentía como una tentación de consentir. Mientras más crecía la tentación, más se obstinaba él en resistirla. Continuaba sentado, los codos sobre la mesa, pensativo, mientras Pável Pávlovich insistía, suplicándole, acosándole con amabilidades y halagos.

—¡Bueno, está bien, iré! —exclamó, al fin, Velcháninov, levantándose, presa de una agitación casi enfermiza.

Pável Pávlovich desbordó de satisfacción.

—¡De prisa, Aléksiey Ivánovich; vístase usted corriendo!

Y daba vueltas a su alrededor, frotándose las manos de alegría.

«Pero, ¿por qué tendrá tanto interés en que le acompañe? ¡Qué raro!», pensaba Velcháninov.

—Además, Aléksiey Ivánovich, es preciso que me haga usted otro favor: darme un buen consejo.

—¿Respecto a qué?

—¡Ah!, es una cuestión muy seria. Se trata de mi gasa negra. ¿Qué cree usted más procedente: quitarla o conservarla?

—Lo que a usted le parezca.

—No, usted es quien tiene que decidir. ¿Qué haría usted en mi lugar? A mi juicio, el conservarla sería dar prueba de constancia en mis afectos, cosa que, en cierto modo, no dejaría de favorecerme...

—Lo procedente y lo correcto es quitarla.

—¿Está usted seguro...? —Y Pável Pávlovich quedó pensativo un momento—. Pues no, yo opino que sería mejor conservarla...

—¡Como usted guste...!

«Bueno, desconfía de mí: esto va bien», pensó Velcháninov.

Salieron. Pável Pávlovich miraba con satisfacción a Velcháninov, que, realmente, tenía un aire muy distinguido, y que, en aquel momento, le inspiraba una gran consideración y respeto. Velcháninov iba, sin acabar de entender a su acompañante ni de comprenderse a sí mismo. Un coche muy lujoso les esperaba a la puerta.

—¿Cómo, había tomado usted un coche de antemano? ¿Tan seguro estaba usted de que yo le acompañaría?

—¡Oh!, yo había tomado el coche para mí; pero estaba seguro de que usted cedería —contestó Pável Pávlovich, con el acento de un hombre enteramente satisfecho.

—Oiga usted, Pável Pávlovich —dijo Velcháninov, un tanto nervioso, una vez ya en camino—; ¿no estará usted demasiado seguro de mí?

—Pero diga usted, Aléksieyi Ivánovich, ¿no será usted el que se figura que yo soy un imbécil? —contestó Pável Pávlovich, gravemente, con voz fuerte.

«¿Y Liza?», pensó Velcháninov. E inmediatamente rechazó esta idea, como un sacrilegio. Le pareció, de pronto, que se conducía de un modo bajo y mezquino; le pareció que el pensamiento que le había tentado era un pensamiento vil y despreciable... Le acometió un violento deseo de plantarlo todo, y saltar del coche, aunque luego tuviera que librarse de Pável Pávlovich por la fuerza bruta. Pero éste comenzó de nuevo a hablarle, y otra vez la tentación se adueñó de su corazón.

—Aléksieyi Ivánovich, ¿es usted entendido en joyas?

—¿Qué joyas?

—En diamantes.

—Pues, naturalmente.

—Quisiera llevar algo. Aconséjeme usted: ¿es procedente o no?

—A mi juicio, no es necesario.

–Pero es que me gustaría tanto... Sólo que no sé qué comprar. ¿Debo comprar todo el aderezo, broche, pendientes y pulsera; o sólo una de las tres cosas?

–¿Cuánto quiere usted gastarse?

–Cuatrocientos o quinientos rublos.

–¡Demonios!

–¿Encuentra usted que es demasiado? –preguntó con inquietud Pável Pávlovich.

–Compre usted una pulsera de cien rublos; es suficiente.

Pero esto no le satisfacía a Pável Pávlovich. Quería algo más caro y, si era posible, un aderezo completo. Como se mantenía firme en su idea, se dirigieron a una joyería.

Acabaron por comprar simplemente una pulsera, y no la que más gustaba a Pável Pávlovich, sino la que eligió Velcháninov. Pável Pávlovich quedó muy descontento cuando el joyero, que había pedido ciento setenta y cinco rublos, la dejó en ciento cincuenta. De buena gana habría dado doscientos: tal era su deseo de comprar algo caro.

–Sí, o hay inconveniente en que yo le haga ya regalos –se apresuró a explicar, en cuanto se hubieron puesto otra vez en camino–. No son gente del gran mundo, sino muy llana y muy sencilla... La edad de la inocencia es aficionada a los regalos –añadió con una sonrisa espiritual y regocijada–. Antes, cuando le dije que tenía quince años, usted se sorprendió, Aléksieyi Ivánovich. Pues justamente eso es lo que me atrae. Una muchachita que va al colegio, con el cartapacio debajo del brazo, y sus cuadernos, y sus plumas... ¡Je, je...! Eso es lo que me ha seducido. Yo, Aléksieyi Ivánovich, estoy por la inocencia. Lo esencial, para mí, es eso; mucho más que la belleza del rostro. ¡Ah, esas muchachitas que se ríen a carcajadas, en un rincón! ¿Y por qué, dirá usted? ¡Pues porque el gatito ha saltado a la cama desde la cómoda y ha ido rodando como una pelota! ¡Eso es ingenuidad, frescura, olor a manzanas recién cogidas...! Pero, dígame usted, ¿qué le parece: debo quitarme la gasa o no?»

—¡Como a usted le parezca!

—¡Qué demonios; yo la quito!

Y cogiendo el sombrero, arrancó la gasa negra, que tiró en medio de la calle. Al volver a encasquetárselo en la cabeza calva, creyó ver Velcháninov en sus ojos un claro rayo de esperanza.

«Pero, vamos a ver, ¿habrá algo de sincero en todo esto? ¿Qué significa, en el fondo, este empeño de llevarme consigo? ¿Tiene realmente la confianza que dice en la generosidad de mis sentimientos? (Y esta hipótesis le hacía casi el efecto de una ofensa). A fin de cuentas: ¿es un farsante, un memo, o un *eterno marido*? ¡De todos modos, sea lo que sea, se está haciendo intolerable!»

XII

EN CASA DE LOS ZAJLEBININ

Los Zajlebinin eran, en efecto, «gente bien», como dijera antes Velcháninov, y Zajlebinin ocupaba un alto puesto en la Administración. Lo que Pável Pávlovich contara respecto a sus recursos económicos era igualmente exacto: «Viven con lujo, pero si el padre se muriese, no les quedaría un céntimo.»

El viejo Zajlebinin recibió a Velcháninov con una cordialidad perfecta. Pronto el «adversario» de antaño se trocó en un excelente amigo.

–Mi más cariñosa enhorabuena por el feliz término de su pleito –le dijo en seguida, con la mayor afabilidad–. Yo siempre fui partidario de una solución amistosa, y Piotr Karlovitch (el abogado de Velcháninov), desde este punto de vista, es un hombre apropiado. Le corresponderán a usted sesenta mil rublos, que podrá percibir sin más trámites, ni moratorias, ni molestias de ninguna clase. Mientras que, en caso contrario, todavía habría podido durar muy bien tres años el pleito.

Acto seguido, Velcháninov fue presentado a la señora de Zajlebinin, mujer ya madura y obesa, de facciones vulgares y ajadas. Luego, les tocó el turno a las muchachas, de una en una o de dos en dos. Eran un verdadero regimiento. Velcháninov contó diez o doce; luego, cansado, renunció. Unas entraban, otras salían, acudían vecinas...

La casa de los Zajlebinin era un caserón de madera, de un gusto bastante mediocre y un tanto estrambótico, constituido por varios cuerpos de edificio de épocas distintas. Lo rodeaba un jardín, al que daban otras tres o cuatro casas con un jardín común, que aprovechaban igualmente, y en la mejor armonía, todas las muchachas de la vecindad.

Desde las primeras palabras comprendió Velcháninov que le esperaban y que su visita, en calidad de amigo de Pável Pávlovich, que deseaba ser presentado, era un acontecimiento. Pronto sus ojos, avezados a ello, desentrañaron en todo esto una intención particular. La acogida, excesivamente cordial, de los padres, una cierta manera de mirarle en las muchachas, lo compuestas que estaban (verdad que era día de fiesta), le hicieron sospechar inmediatamente que Pável Pávlovich le había jugado alguna de las suyas, y que sin duda se había permitido respecto a él ciertas insinuaciones que podían tomarse como preliminares, anunciándole como un hombre «de lo más distinguido», solterón rico, cansado del celibato, y acaso dispuesto a sentar la cabeza y tomar estado, «sobre todo ahora, que acaba de entrar en posesión de esa herencia». Algo de ello debía de haber en la mayor de las hijas, Katerina Fedosiéyevna, la que tenía veinticuatro años, y que Pável Pávlovich pintaba como una muchacha encantadora. Se distinguía de sus hermanas por el mayor esmero en la *toilette* y el peinado tan original que se había hecho con sus trenzas espléndidas. Sus hermanas y las muchachas de la vecindad parecían plenamente persuadidas de que Velcháninov venía «por Katia».[8] Sus miradas y algunas palabras a hurtadillas acabaron de convencerle de lo exacto de su hipótesis.

---

8. Diminutivo de Katerina.

Katerina Fedosiéyevna era una muchacha alta, rubia, fuerte, de facciones extraordinariamente dulces y carácter evidentemente apacible, vacilante y dócil. «Es raro que una muchacha así no se haya casado aún —pensó, sin querer, Velcháninov, contemplándola con verdadero placer—. Verdad que no tiene dote, y que engordará muy de prisa, pero para eso hay aficionados a este género de belleza...»

Las hermanas eran todas bonitas, y entre las amigas advirtió varias caras agradables y alguna hasta realmente preciosa. Todo esto no dejaba de complacerle; pero había venido ya en una disposición de ánimo muy particular.

Nadechka Fedosiéyevna, la sexta, la colegiala, la futura de Pável Pávlovich, se hacía esperar. Velcháninov estaba impaciente por verla, cosa que a él mismo le sorprendió y hasta pareció un tanto ridícula. Al fin llegó, causando su entrada cierta sensación. Venía acompañada por una amiga, María Nikítischna, morenucha nada bonita, pero muy viva y graciosa, que indudablemente causaba verdadero terror a Pável Pávlovich. Esta María Nikítischna, de veintitrés años de edad, risueña y traviesa, era institutriz en una casa vecina. Hacía tiempo que los Zajlebinin la trataban como si fuera de la familia, y las muchachas la querían mucho. Nadia,[9] sobre todo, no podía pasarse sin ella.

Desde el primer momento se dio cuenta Velcháninov de que todas las muchachas, incluso las de la vecindad, estaban en contra de Pável Pávlovich; y no llevaba Nadia un minuto en la habitación, cuando ya estaba él seguro de que también ella le detestaba. Se convenció igualmente de que Pável Pávlovich no sospechaba lo más mínimo o no quería darse por enterado.

---

9. Diminutivo de Nadechka.

Nadia era, incontestablemente, la más bonita de todas las hermanas. Morena, un poco arisca al parecer, con un aplomo de nihilista: un diablejo, de ojos ardientes, de sonrisa deliciosa, a veces un tanto picaresca, de labios y dientes admirables; esbelta y espigada, con una expresión altiva y resuelta, y al mismo tiempo un no sé qué de infantil. Cada uno de sus pasos, cada palabra, iban diciendo que tenía quince años.

La pulsera tuvo escaso éxito; como que, más bien, produjo mal efecto. Pável Pávlovich, en cuanto ella entró, se le había acercado, muy sonriente. Dio como pretexto «el enorme placer que había experimentado la otra vez oyéndola cantar, acompañada al piano, aquella preciosísima romanza...».

Se hizo un lío, no consiguió acabar la frase y se quedó parado, sin saber qué hacer, desconcertado, tendiendo el estuche, empeñado en dejarlo en manos de Nadia. Ésta se negó a aceptarlo, se ruborizó de confusión y de ira, retiró la mano y, volviéndose hacia su madre, que también parecía desconcertada, le dijo en voz alta:

—¡No quiero, mamá!

—Acepta y da las gracias —dijo el padre en tono tranquilo y severo, pero también muy descontento—. «¡Era inútil, realmente inútil», añadió por lo bajo a Pável Pávlovich, de un modo muy significativo.

Nadia, resignada, tomó el estuche y, con los ojos bajos, hizo una reverencia, enderezándose vivamente, como movida por un resorte. Una de sus hermanas se acercó para ver la joya. Nadia le tendió el estuche sin abrirlo, en señal del escaso interés que le causaba. Sólo la madre se atrevió a decir, tímidamente, que la pulsera era preciosa. Pável Pávlovich hubiera dado cualquier cosa por meterse bajo tierra.

Velcháninov sacó a todo el mundo del apuro.

Aprovechando la primera ocasión, empezó a hablar animadamente. A los cinco minutos, todos los presentes no

tenían oídos más que para él. Velcháninov poseía a conciencia el arte de la conversación, el arte de comunicar convicción
y candor, dando así a su auditorio la impresión de que él
también los consideraba a ellos como personas convencidas
y sin malicia. Sabía, cuando convenía, parecer el más alegre y
feliz de los mortales. Tenía una rara habilidad para colocar
en el momento oportuno una frase espiritual y mordaz, una
alusión regocijante, un juego de palabras gracioso; todo ello
con la mayor naturalidad, aparentando no darle importancia,
aun cuando la cosa estuviese preparada de antemano, y
aprendida de memoria y utilizada por centésima vez. Pero,
en este momento, no precisaba recurrir a su arte; todo él se
sentía en juego. Se encontraba en vena, muy excitado, sintiendo con una certeza plena y triunfante que unos cuantos
minutos le bastarían para tener fijas en él todas las miradas,
para que toda aquella gente no le escuchase más que a él, y
sólo para él tuviera sonrisas. Y, en efecto, poco a poco, todo
el mundo entró en la conversación, que él conducía con una
maestría absoluta. Nadia le observaba a hurtadillas; bien claro se veía que estaba prevenida en contra suya, cosa que esti-
mulaba aún más la locuacidad de Velcháninov. La maligna
María Nikítischna había hecho correr, por cuenta suya, un
rumor que dañaba su prestigio, afirmando que Pável Pávlovich le había hablado el día antes de Velcháninov como de
un amigo de la niñez, cosa que envejecía a este último en siete años largos. Pero, en este momento, la misma María Nikítischna participaba de la sugestión. Pável Pávlovich, en cambio, ponía cara de idiota, dándose cuenta de la superioridad
de su amigo. Al principio había parecido encantado con su
éxito y, como los demás, había reído y tomado parte en la
conversación; pero, poco a poco, fue cayendo en un ensimis-
mamiento y, al fin, en una especie de tristeza, que se traslucía
claramente en su semblante.

—¡Caramba, es usted el hombre más ameno que he conocido! —exclamó alegremente el viejo Zajlebinin, levantándose para subir a su despacho, donde, a pesar de ser día festivo, le aguardaban legajos y papelotes—. ¡Y yo que le tenía por un hipocondríaco empedernido! ¡Cómo se equivoca uno!

Como había en el salón un piano de cola, Velcháninov preguntó quién era la que tocaba, y se volvió de repente hacia Nadia.

—Pero usted canta, ¿verdad?

—¿Quién se lo ha dicho a usted? —contestó ella secamente.

—Pável Pávlovich es quien lo decía antes.

—Pues no es cierto. Canto por cantar, en broma. No tengo ni un hilo de voz.

—Pues yo tampoco tengo voz y, sin embargo, canto.

—¿Quiere usted, entonces, cantarnos algo? Y yo, luego, le cantaré a usted también algo —dijo Nadia, a quien le brillaban los ojos—. Aunque no, ahora no; después de comer... Yo no puedo soportar la música —añadió—; ese piano me exaspera. ¡De la mañana a la noche no se hace aquí otra cosa que tocar y cantar! Katia es la única que sabe un poco.

Velcháninov cogió la pelota al vuelo, y todos convinieron en que, efectivamente, Katia era la única que se ocupaba en serio de música. Inmediatamente le rogó él que tocara algo. Todos parecieron encantados de que se dirigiese a Katia, y la madre se puso encarnada de satisfacción.

Se levantó Katia sonriendo y se dirigió al piano. Al sentarse, y sin haber por qué, se sintió enrojecer repentinamente. Se avergonzaba de sonrojarse así, como una chicuela, ella, una mujer de veinticuatro años y de alma bien templada... Y todo ello se reflejaba en su rostro, al sentarse a tocar.

Tocó una pieza de Haydn, correctamente, sin expresión; pero se veía que estaba azorada. Al terminar, Velcháninov hizo un gran elogio, no de ella, sino de Haydn y de aquella pieza. Ella experimentó una satisfacción tan visible, y escuchó con aire tan agradecido y tan contento el elogio que él estaba haciendo, no de ella, sino de Haydn, que Velcháninov no pudo menos de mirarla más atenta y cordialmente. «¡La verdad es que eres una muchacha excelente!», decía su mirada. Y todos comprendieron su mirada, especialmente Katerina.

—¡Qué espléndido jardín tienen ustedes! —exclamó él dirigiéndose a todas y echando una ojeada hacia las puertas acristaladas de la terraza—. ¿Por qué no vamos todos al jardín?

—¡Sí, eso es! ¡Muy bien! ¡Al jardín!

Fue un grito de alegría, como si la proposición hubiera respondido al deseo de todos.

Bajaron, pues, al jardín, para esperar la hora de la comida. La señora de Zajlebinin, que desde hacía un rato no pensaba más que en la siesta, se vio obligada a salir con todos, pero se detuvo prudentemente en la terraza, donde se sentó y quedó dormida inmediatamente. Una vez en el jardín, pronto Velcháninov y las muchachas hicieron más amistades. De las casas vecinas salieron, para unirse a ellos, dos o tres jóvenes: uno de ellos estudiante, el otro todavía nada más que colegial. Ambos fueron en busca de la muchacha por la cual venían. El tercero era un mozo de veinte años, de aire sombrío, melena enmarañada y enormes gafas azules. Se puso a hablar en voz baja, muy de prisa, arrugando el ceño, con María Nikítischna y Nadia. Miraba de reojo severamente a Velcháninov, y parecía tener verdadero empeño en adoptar con él una actitud extraordinariamente despectiva.

Algunas de las muchachas propusieron que se jugase. Velcháninov preguntó a qué jugaban habitualmente. Le respondieron que a toda clase de juegos, pero con preferencia a los refranes. Se lo explicaron: todo el mundo se sienta, menos uno, que se aleja un momento; se elige entonces un proverbio cualquiera, y luego, después de haber hecho volver al que le toca adivinar, cada uno tiene que decirle por turno una frase que contenga una de las palabras del refrán, que el otro debe reconstruir íntegramente.

—¡Pues es muy divertido! —dijo Velcháninov.

—¡Oh; es aburridísimo! —le contestaron simultáneamente dos o tres voces.

—También jugamos al teatro —dijo Nadia, dirigiéndose a él—. ¿Ve usted este árbol tan grande rodeado de bancos? Los actores se ponen detrás del árbol, como si estuvieran entre bastidores, y salen uno por uno: el rey, la reina, la princesa, el primer galán. Cada uno sale cuando le parece, dice lo que se le ocurre y se marcha.

—¡Divertidísimo!

—¡Oh; es muy aburrido! Al principio, tiene cierta gracia, pero luego nadie sabe qué decir ni cómo acabar. Puede que con usted salga mejor... Nosotros creíamos que era usted amigo de Pável Pávlovich, pero ya vemos que eran cosas de él. Me alegro de que haya usted venido... por una cosa —dijo mirando a Velcháninov muy seriamente, con insistencia; y corriendo en seguida a reunirse con María Nikítischna.

—Esta noche jugaremos a los refranes —dijo en voz baja a Velcháninov una de las amigas, que todavía no había abierto la boca y en la que apenas se había fijado—. Ya verá usted; nos reiremos de Pável Pávlovich, y usted nos ayudará.

—¡Ya lo creo! ¡Qué bien ha hecho usted en venir! ¡Estamos aquí tan aburridas! —exclamó otra amiga, en quien tampoco se había fijado: una pelirroja, que jadeaba a causa de la carrera que se había dado.

Pável Pávlovich cada vez se sentía menos a gusto. Velcháninov estaba ya en la mejor armonía con Nadia. Ésta no le miraba ya de reojo, como antes; se reía oyéndole, brincaba, charlaba, y por dos veces le cogió una mano. Se sentía completamente feliz, y hacía el mismo caso de Pável Pávlovich que si éste no estuviera presente. Velcháninov estaba ya seguro de que existía un complot contra Pável Pávlovich. Nadia, con un grupo de muchachas, había traído a Velcháninov hacia un rincón del jardín; otro corro de amigas, con diversos pretextos, se llevaba a Pável Pávlovich aparte; pero éste conseguía zafarse de ellas, y corría hacia el grupo de Nadia y Velcháninov, adelantando su cabeza calva y desconfiada para escuchar lo que decían. No tardó en prescindir de toda compostura, y sus gestos y ademanes eran a veces de una ingenuidad inconcebible.

Velcháninov no pudo menos de observar atentamente a Katerina Fedosiéyevna. Ésta, a no dudar, se daba ya perfectamente cuenta de que él no había venido por ella, y que, en cambio, se interesaba en extremo por Nadia; pero su rostro seguía tan dulce y sosegado como antes. Parecía satisfecha de encontrarse entre ellos y de oír lo que decía el nuevo amigo, incapaz ella misma de intervenir hábilmente en la conversación.

—¡Qué excelente muchacha debe ser su hermana Katia! —dijo Velcháninov en voz baja a Nadia.

—¿Katia? ¡No se puede ser mejor! ¡Es nuestro ángel, y yo la adoro! —contestó ella con fuego.

A las cinco llamaron para comer. Evidentemente habían hecho una comida especial en honor del comensal, añadiendo al *menú* ordinario dos o tres platos selectos (uno de ellos tan selecto, que nadie pudo con él). Además de los vinos corrientes, sirvieron una botella de *tokai,* y en los postres, con un pretexto cualquiera, abrieron una de champán.

El viejo Zajlebinin, después de haber bebido un poco más que de costumbre, se sentía lleno de animación, celebrando y riendo todo lo que decía Velcháninov. Al fin, Pável Pávlovich no pudo contenerse más. Quiso, él también, producir su efecto, y lanzó un chiste. Inmediatamente, al otro lado de la mesa, estalló una sonora carcajada.

—¡Papá, papá! —gritaron juntas dos de las niñas pequeñas—. ¡Pável Pávlovich acaba de hacer un chiste!

—¡Ah, conque también él hace chistes! ¡Veamos; veamos el chiste! —dijo el anciano, volviéndose con agrado hacia Pável Pávlovich, y sonriéndole familiarmente.

Costó cierto trabajo hacerle comprender en qué consistía el juego de palabras.

—¡Ah, muy bien, muy bien! —dijo, después que se lo explicaron—. ¡Ya otra vez le saldrá alguno mejor!

—¡Qué quiere usted, Pável Pávlovich! ¡No se pueden tener todos los talentos a la vez! —observó en voz alta, y un tanto burlona, María Nikítischna—. ¡Santo Dios, se le ha atragantado una espina! —exclamó, precipitándose hacia él.

Se produjo un tumulto general, que es lo que ella quería. Pável Pávlovich, después de su fracaso, quiso ocultar su confusión apurando su vaso, y se había atragantado; pero María Nikítischna afirmaba rotundamente que «era una espina, que estaba segura, y que no sería el primer caso de alguien que hubiese muerto por tragarse una espina».

—Hay que darle unos golpecitos en la espalda —indicó una.

—Sí, sí, eso es —aprobó Zajlebinin.

Y se precipitaron sobre el infortunado. Todas: María Nikítischna, la pelirroja, y hasta la madre, algo asustada, rivalizaron en aporrearle las espaldas.

Pável Pávlovich tuvo que levantarse y escapar. Cuando volvió, explicó largamente que no había sido una espina, sino un sorbo de vino que se le había antragantado. Entonces comprendieron que había sido una broma pesada de María Nikítischna.

—¡Revoltosa! —quiso decir severamente la señora de Zajlebinin; pero, sin poder contenerse, soltó una carcajada, cosa desusada en ella y que también hizo su efecto.

Después de los postres salieron a tomar el café a la terraza.

—¡Qué días tan hermosos! —exclamó efusivamente el viejo, contemplando el jardín con ojos satisfechos—. Ahora, lo único que falta es un poco de lluvia... Vamos, me voy a descansar un rato. Que ustedes se diviertan. ¡Sí, hay que divertirse! —añadió, dándole una palmadita en el hombro a Pável Pávlovich.

Mientras bajaban de nuevo al jardín, alcanzó Pável Pávlovich a Velcháninov y le tiró de la manga.

—Un minuto, haga usted el favor —le murmuró en voz muy baja, con aire agitado.

Tomaron por un sendero apartado del jardín.

—¡Lo que es aquí, no crea usted que voy a dejarle que... ah, no, no lo permitiré! —dijo, ahogándose de rabia y apretándole con fuerza el brazo.

—¿El qué, el qué? —preguntó Velcháninov, abriendo mucho los ojos.

Pável Pávlovich le miró sin decir palabra con una sonrisa de cólera.

—Pero ¿dónde se ha metido usted? ¿Qué están ustedes haciendo? ¡Ya estamos esperando! —gritaban las muchachas, impacientes.

Encogiéndose de hombros, Velcháninov se dirigió hacia ellas. Pável Pávlovich le siguió.

—Apuesto a que le estaba pidiendo a usted un pañuelo —dijo María Nikítischna—. Ya la otra vez se olvidó el pañuelo.

—¡Siempre se olvida! —exclamó otra de las muchachas.

—¡Se ha olvidado el pañuelo! ¡Pável Pávlovich se ha olvidado el pañuelo! ¡Mamá, Pável Pávlovich se ha olvidado otra vez el pañuelo! ¡Mamá, otra vez está acatarrado Pável Pávlovich! —gritaban todas.

—Pero, ¿por qué no lo dice? ¡Es usted demasiado tímido, Pável Pávlovich! —suspiró la señora de Zajlebinin con su voz lánguida—. No se puede jugar con los catarros... Voy a mandar que le traigan en seguida un pañuelo... Pero ¿cómo es que está usted siempre acatarrado? —añadió, alejándose, encantada de tener un pretexto que le permitía volver a casa.

—Pero ¡si tengo dos pañuelos y ni el menor asomo de catarro! —le gritó Pável Pávlovich.

Pero ella no le oyó, y no había pasado un minuto cuando Pável Pávlovich, que trataba de seguir a los demás y no perder de vista a Nadia y Velcháninov, vio venir hacia él a una doncella, que le traía, sofocada, el pañuelo.

—¡Juguemos, juguemos, juguemos a los refranes! —gritaron todas, como si contasen con divertirse una barbaridad con este juego.

Eligieron sitio, y todo el mundo tomó asiento. María Nikítischna fue la primera designada para quedarse. La hicieron alejarse lo bastante para que no pudiera oír, escogieron el refrán, y se distribuyeron las palabras. María Nikítischna volvió, y adivinó a la primera.

Luego le tocó el turno al joven de la melena enmarañada y gafas azules. Le enviaron todavía más lejos, junto a un pabellón, donde se quedó con la nariz pegada a la pared. El joven cumplió su cometido con un airecillo de desdén altanero. Podría decirse que se sentía un poco humillado. Cuando le llamaron no supo adivinar, y después de hacerse repetir dos veces las cosas y de haber meditado largamente, con gesto sombrío, tuvo que declararse vencido. El refrán en cuestión era el siguiente: «La oración a Dios y el servicio al zar nunca se pierden.»

—¡Qué estúpido refrán! —murmuró el joven, despechado y molesto, volviendo a su sitio.

—¡Esto es un aburrimiento! —protestaron algunas voces.

Ahora le tocaba a Velcháninov. Le llevaron más lejos todavía, y tampoco adivinó nada.

—¡Esto es un aburrimiento! —repitieron algunas voces, en mayor número.

—¡Bueno; ahora me toca a mí! —dijo Nadia.

—¡No, no; le toca a Pável Pávlovich! —gritaron todos en coro.

Se lo llevaron hasta un extremo del jardín, plantándole en un rincón, con la cara contra el muro, y para que no pudiera volverse le pusieron de centinela a la pelirroja. Pável Pávlovich, que había recobrado un poco de animación, quiso desempeñar su papel muy a conciencia, y allí se quedó, derecho como un poste, con los ojos fijos en el muro. La pelirroja le vigilaba, a veinte pasos de distancia, y hacía señales a los demás, en un estado de agitación extrema. Era evidente que esperaban algo con gran impaciencia. De repente, la pelirroja les hizo una señal, con los brazos en alto. En un abrir y cerrar de ojos echaron a correr, lo más deprisa que podían.

—¡Corra usted, corra! —dijeron a Velcháninov diez voces, inquietas de verle inmóvil.

—Pero ¿qué pasa? ¿Qué es lo que ocurre? —preguntó él, echando a correr detrás de ellas.

—¡Psss! ¡No grite usted! Que se quede en su rincón, mirando a la pared, mientras nosotros nos vamos a otra parte. ¡Mire usted cómo Nastia echa también a correr!

Nastia, la pelirroja, corría que se las pelaba, agitando los brazos. Al cabo de unos instantes ya estaban todas reunidas en la otra punta del jardín, detrás del estanque. Cuando llegó Velcháninov, vio que Katerina censuraba vivamente a sus compañeras, sobre todo a Nadia y a María Nikítischna.

—¡Katia, querida, no te enfades! —decía Nadia, besándola.

—Bueno; no le diré nada a mamá, pero me voy, porque eso no está ni medio bien. ¡Qué pensará el infeliz, ahí contra el muro!

Se fue, pero las demás no compartieron su lástima ni sintieron remordimiento alguno. Antes bien, le rogaron insistentemente a Velcháninov que estuviera como si tal cosa cuando viniese a buscarles Pável Pávlovich.

—¡Y ahora juguemos todos a las cuatro esquinas! —gritó la pelirroja, encantada.

Lo menos un cuarto de hora tardó en reunírseles Pável Pávlovich, que, efectivamente, se había estado más de diez minutos en su rincón, esperando que le llamasen. Cuando llegó, el juego estaba en su apogeo; todos gritaban y reían. Ciego de ira, Pável Pávlovich se fue derecho a Velcháninov, a quien cogió de un brazo.

—¡Un minuto, tenga usted la bondad!

—¡Vamos, otra vez con el minuto! —gritaron algunas de las muchachas.

—¡Todavía pide otro pañuelo! —contestaron otras.

—Esta vez ha sido usted... sí, es culpa suya...

Y Pável Pávlovich, dando diente con diente, no pudo proseguir.

Velcháninov le invitó, muy cordialmente, a poner mejor cara y distraerse con ellos.

—¿No comprende usted que le gastan bromas porque está usted de mal humor, cuando todo el mundo está alegre?

Con gran asombro suyo, su consejo determinó en Pável Pávlovich un cambio completo de actitud. Se calmó inmediatamente, hizo como si reconociera que había sido culpa suya, tomó parte en todos los juegos y al cabo de media hora ya había recobrado su alegría. En todos los juegos formaba pareja, cuando había lugar a ello, con la pelirroja o alguna de las Zajlebinin. Y lo que acabó de asombrar a Velcháninov es que ni una sola vez dirigió la palabra a Nadia, a pesar de estar casi siempre muy cerca de ella. Parecía aceptar su situación como cosa natural. Pero al anochecer volvió a presentarse ocasión de jugarle una trastada.

Se jugaba al escondite, estando permitido esconderse donde uno quisiera. A Pável Pávlovich, que había conseguido ocultarse detrás de unos arbustos, se le ocurrió de pronto la idea de esconderse en la casa. Pero las muchachas le vieron y empezaron a gritar. Entonces él subió las escaleras de cuatro en cuatro hasta el entresuelo, donde recordaba un excelente escondrijo, detrás de una cómoda. Pero la pelirroja subió tras él de puntillas, sin que él lo advirtiera y cerró con llave la puerta del cuarto donde se había refugiado. Todos, como habían hecho antes, se fueron jugando más allá del estanque, al otro lado extremo del jardín. A los diez minutos Pável Pávlovich, viendo que ya no le buscaban, asomó la cabeza a la ventana. ¡Nadie!

Corrió a la puerta y la encontró cerrada. No se atrevió a llamar, por temor a causar alguna perturbación en la casa: por otra parte, los criados habían recibido la orden terminante de no aparecer por allí ni hacer caso de las voces de Pável Pávlovich. Sólo Katerina hubiera podido socorrerle, pero ésta se había metido en su cuarto y echado a dormir un rato. Así estuvo cerca de una hora. Al fin, las muchachas se dejaron ver, pasando en grupos de dos o tres y como por casualidad.

—Pero ¿qué hace usted, Pável Pávlovich, que no viene con nosotros? ¡Si usted supiese lo que nos hemos divertido! Estamos jugando al teatro y Alékseyi Ivánovich hace de galán joven.

—¿Por qué no baja usted, Pável Pávlovich? ¡Cuidado que es usted raro! —dijeron otras, pasando.

—¿Por qué raro? —preguntó de pronto la voz de la señora de Zajlebinin, que acababa de despertarse y se decidía a dar una vuelta por el jardín, hasta la hora del té, para ver cómo jugaban «los chicos».

—¡Mírelo usted dónde está!

Y le señalaron la ventana por la que el otro asomaba la cabeza, con una sonrisa forzada, lívido de rabia.

—¡Qué ocurrencia, encerrarse cuando todo el mundo se divierte! —dijo la madre, sacudiendo la cabeza.

Durante este tiempo, Nadia le exponía, al fin, a Velcháninov, la razón por la cual se había alegrado tanto de verle, y el importante asunto que le preocupaba. La explicación tuvo lugar en una avenida desierta. María Nikítischna había hecho una señal a Velcháninov, que tomaba parte en todos los juegos y empezaba a aburrirse de firme, y le había conducido a aquel sitio, donde le dejó a solas con Nadia.

—Estoy completamente segura —comenzó a decir ésta con voz precipitada— de que no es usted tan íntimo de Pável Pávlovich como éste dice. Usted es la única persona que puede prestarme un servicio de extraordinaria importancia. Mire usted: aquí está su pulsera —y sacó el estuche del bolsillo—; yo le suplico a usted muy encarecidamente que se la devuelva hoy mismo; pues yo no quiero volver a dirigirle la palabra en todos los días de mi vida. Naturalmente puede decirle que se lo he pedido yo y le ruego a usted que añada que no se le vuelva a ocurrir hacer ningún regalo. En cuanto a lo demás, ya haré que se lo diga quien corresponda. ¿Quiere usted hacerme ese enorme favor?

—¡Por Dios, se lo suplico a usted, no me exija semejante cosa! —replicó Velcháninov, casi con un grito de desesperación.

—¿Cómo? ¿Cómo? ¿Que se niega usted? —exclamó Nadia, desconcertada, abriendo de par en par los ojos y a punto de romper a llorar.

Velcháninov sonrió.

—No vaya usted a creer que... Yo habría tenido mucho gusto... Pero no estoy en muy buenas relaciones con él, y...

—¡Ya sabía yo que no era usted amigo suyo, y que mentía! —interrumpió ella con volubilidad—. ¡Yo no seré jamás su mujer! ¡Jamás! ¡Ni siquiera sé cómo se ha atrevido...! Pero ¡es absolutamente preciso que le devuelva usted esta pulsera! ¿Qué quiere usted que haga si no...? Tengo verdadero empeño en devolvérsela hoy mismo. ¡Y que si me delata a papá, ya verá él lo que le ocurre!

En este instante surgió, de pronto, detrás de unas plantas, el joven de melena enmarañada y gafas azules.

—¡Es preciso que devuelva usted esa pulsera! —gritó a Velcháninov, con una especie de rabia—. ¡Aunque sólo sea en nombre de los derechos de la mujer! Suponiendo que sea usted capaz de comprender la trascendencia de esta cuestión.

No tuvo tiempo de seguir. Cogiéndolo violentamente por un brazo, Nadia le envió lejos de Velcháninov.

—¡Dios mío; cuidado que es usted tonto, Predpósitov! —exclamó—. ¡Váyase usted, váyase; y no vuelva a escuchar lo que se habla! ¿No le había ordenado que se mantuviera a distancia...?

Y dio una patada al suelo. Ya había desaparecido el otro, y continuaba ella caminando de arriba abajo, fuera de sí, con los ojos echando chispas y los puños crispados.

—¡No puede usted figurarse hasta qué punto son idiotas! —dijo, parándose en seco delante de Velcháninov—. ¡Usted, ya sé que lo encontrará ridículo; pero no puede figurarse lo que esto supone para mí!

—¿Entonces, no es *él*? —preguntó Velcháninov, sonriendo.

—¡Claro que no! ¿Cómo ha podido siquiera imaginarlo? —repuso Nadia, sonriendo también y ruborizándose—. Éste no es más que un amigo de él. Pero, ¡qué modo de elegir amigos!

No lo entiendo. ¡Todo el mundo dice que éste es un chico «de porvenir»! Nada, que no lo entiendo... Usted, Aléksieyi Ivánovich, es la única persona a quien puedo recurrir. Vamos a ver, dígame usted su última palabra: ¿le devolverá usted la pulsera, sí o no?

—¡Bueno, como usted quiera! Se la devolveré; démela.

—¡Qué bueno es usted! —exclamó ella, radiante de alegría, tendiéndole el estuche—. Le cantaré a usted todo lo que quiera, durante toda la noche, si se le antoja. ¡Y no crea usted que lo hago mal! ¡Oh; le mentí al decirle que no me gustaba la música! ¡Ah, cuánto me alegraría de que volviese usted otra vez! Se lo cantaría todo, todo; y también otro montón de cosas; porque usted es muy bueno, muy bueno... ¡tan bueno... como Katia!

En efecto, cuando volvieron a la casa para tomar el té, Nadia cantó dos romanzas, con una voz todavía poco educada, pero agradable y bastante potente. Pável Pávlovich estaba sentado con los padres junto a la mesita del té, sobre la cual habían dispuesto un servicio antiguo de Sèvres, alrededor de un inmenso *samovar*. Sin duda estaba hablándoles de cosas extraordinariamente serias, ya que al día siguiente debía marcharse de Petersburgo para nueve meses, lo menos. No hizo, pues, el menor caso cuando volvieron del jardín las muchachas, y ni siquiera tuvo una mirada para Velcháninov. Indudablemente, se había calmado, y no pensaba en quejarse de la mala pasada.

Pero en cuanto Nadia empezó a cantar, se acercó al piano. Ninguna de las veces que le dirigió la palabra contestó ella; pero no por eso se desconcertaba. De pie tras ella, apoyado en el respaldo de su silla, parecía decir con su actitud que aquel sitio era suyo y que no lo cedería a nadie.

—¡Ahora le toca a Aléksieyi Ivánovich, mamá! ¡Aléksieyi Ivánovich prometió que cantaría! —gritaron a coro las muchachas, apretujándose alrededor del piano, mientras Velcháninov tomaba asiento, muy seguro de sí, para acompañarse él mismo.

Los padres y Katerina Fedosiéyevna, que estaba con ellos sirviendo el té, se aproximaron.

Velcháninov escogió una romanza de Glinka, hoy casi olvidada.

Cuando llegue el momento feliz en que abras tus labios
y me hables, más amorosa y tierna que una paloma...

Cantaba, vuelto hacia Nadia, que estaba en pie junto a él. Ya hacía tiempo que no le quedaba más que un resto de voz; pero este resto bastaba para probar que había debido cantar muy bien. Veinte años antes, siendo estudiante, había oído esta romanza de labios mismos de Glinka, en una cena artística y literaria ofrecida por un amigo del compositor. Aquella noche, Glinka había tocado y cantado sus obras predilectas. Apenas tenía ya voz; pero Velcháninov recordaba el efecto extraordinario que había sacado de esta romanza. Un cantante de profesión nunca habría conseguido producir una impresión tan honda. En esta romanza, la pasión brota y se eleva con cada verso, con cada palabra; la gradación es tan intensa y tan sostenida, que la menor nota falsa, el menor desfallecimiento, que pasan inadvertidos en una ópera, quitan a la pieza todo su valor y alcance. Para cantar esta obrita, tan sencilla, pero tan extraordinaria, eran indispensables la sinceridad, la inspiración, una verdadera pasión, o, por lo menos, muy bien simulada. De otro modo, no era sino una romancita cualquiera, banal y casi inconveniente, pues no es posible expresar con tal fuerza la tensión suprema de la pasión sin provocar repugnancia, a menos que la sinceridad y la sencillez del corazón lo salven todo.

Velcháninov recordaba el éxito que había cosechado siempre con esta romanza. Imitaba en lo posible la manera de Glinka, y todavía ahora, desde la primera nota, desde el primer verso, una verdadera inspiración se apoderaba de su alma y fluía de su voz. A cada palabra, el sentimiento crecía en fuerza y en audacia; al final se oyeron verdaderos gritos de pasión. Mirando a Nadia, con los ojos inflamados, cantaba los últimos versos de la romanza:

> *Y ahora me miro con más osadía en tus ojos.*
> *¡Acerco mis labios y, sin fuerzas para escuchar,*
> *quiero sólo besarte, besarte, besarte,*
> *quiero sólo besarte, besarte, besarte!*

Nadia se estremeció de miedo y dio un paso atrás; se ruborizaron sus mejillas, y hubo como un relámpago que pasase de Velcháninov a su rostro, alterado de turbación y casi de vergüenza. Los demás oyentes quedaron, a la vez, encantados y desconcertados. Todos parecían decir que, realmente, era excesivo cantar con tanto fuego; pero, al mismo tiempo, todos aquellos ojos juveniles brillaban y centelleaban. Tan radiante estaba el rostro de Katerina Fedosiéyevna, que Velcháninov la encontró casi bonita.

—¡Preciosa romanza! —murmuró el viejo Zajlebinin, un tanto cortado—. Pero... ¿no le parece a usted un poco... violenta? Sí, es muy hermosa, pero un poco violenta.

—Sí; es demasiado violenta... —quiso, a su vez, decir la mujer.

Pero Pável Pávlovich no le dio tiempo a concluir. Levantándose de un salto, como un loco, cogió a Nadia por un brazo, apartándola lejos de Velcháninov, y se plantó resueltamente ante éste, mirándole con ojos extraviados y temblándole horrorosamente los labios.

—Un minuto, se lo ruego —pudo articular al fin.

Velcháninov comprendió en seguida que, si tardaba lo más mínimo, aquel extravagante se dejaría llevar a extremos mucho más absurdos. Le cogió, pues, de un brazo, y sin darse cuenta del asombro de todos, se lo llevó a la terraza y bajó con él al jardín, que estaba ya casi a oscuras.

—Usted comprenderá que no puede quedarse aquí un momento más, ¿eh? —dijo Pável Pávlovich.

—En absoluto. No veo por qué...

—¿Se acuerda usted —prosiguió Pável Pávlovich, con rabia—, se acuerda usted de que en una ocasión me rogó que le dijera toda la verdad, *toda*, francamente, de cabo a rabo? ¿Se acuerda usted? ¡Pues bien, llegó el momento...! ¡Vamos!

Velcháninov reflexionó, miró otra vez a Pável Pávlovich y, al fin, consintió en marcharse.

Esta partida imprevista desoló a los padres y exasperó a las muchachas.

—¡Otra taza de té, al menos! —suplicó la señora de Zajlebinin.

—Pero, en fin, ¿qué te pasa, que estás tan agitado? —preguntó el anciano a Pável Pávlovich, que sonreía y callaba.

—Pável Pávlovich, ¿por qué se lleva usted a Aléksieyi Ivánovich? —gimieron las muchachas, dirigiéndole furiosas miradas.

Nadia le miró tan duramente, que él hizo una mueca; pero no cedió.

—Pável Pávlovich, en efecto, me ha hecho el favor de recordarme un asunto muy urgente, que yo olvidaba —exclamó Velcháninov, sonriendo.

Estrechó la mano al padre y se inclinó ante la señora de Zajlebinin y las muchachas, en particular ante Katia, cosa que fue notada, y comentada más tarde.

—Gracias por haber venido a vernos. Que no sea ésta la última vez. Todos nos alegraremos mucho, todos —dijo con insistencia el viejo Zajlebinin.

—¡Oh, sí; todos nos alegraremos mucho! —repitió la madre calurosamente.

—¡Que vuelva usted, Aléksieyi Ivánovich, que vuelva usted! —gritaban las muchachas, desde la terraza, mientras él subía al coche con Pável Pávlovich.

Y una vocecita añadió, en voz más baja que las otras:

—Sí, ¡que vuelva usted pronto, querido Aléksieyi Ivánovich!

«Ésa debe ser la pelirroja», pensó Velcháninov.

XIII

HACIA QUÉ LADO SE INCLINA LA BALANZA

Pensaba todavía en la pelirroja, y no obstante el remordimiento y el disgusto de sí mismo le quemaban el corazón desde hacía rato.

Ni un solo momento, durante todo el día, tan divertido en apariencia, le había abandonado la tristeza. Antes de ponerse a cantar, no sabía ya como librarse de ella; quizá ésa era la razón de que hubiese cantado con tanto entusiasmo.

«Y yo, yo, he podido rebajarme hasta ese punto... ¡olvidarme de todo!», pensaba.

Pero no tardó en poner freno a sus remordimientos. Le parecía humillante gemir sobre sí mismo; hubiera preferido cien veces desahogar inmediatamente su ira sobre otro cualquiera.

−¡Imbécil! −gruñó con cólera, mirando de reojo a Pável Pávlovich, sentado junto a él en el coche, inmóvil y sin despegar los labios.

Pável Pávlovich guardaba un obstinado silencio. Parecía replegarse sobre sí mismo, preparándose para el salto. De cuando en cuando, con gesto impaciente, se quitaba el sombrero para enjugarse la frente con el pañuelo.

−¡Está hecho una sopa! −gruñó Velcháninov.

Sólo una vez abrió la boca Pável Pávlovich, para preguntar al cochero si estallaría la tempestad.

—¡Ya lo creo! ¡Y que será buena! Por algo hemos estado achicharrándonos todo el día.

En efecto, el cielo se oscurecía, surcado por relámpagos, todavía lejanos. Serían las diez y media cuando llegaron a la ciudad.

—Le acompaño a usted —dijo Pável Pávlovich, volviéndose hacia Velcháninov, al llegar cerca de su casa.

—Ya lo veo. Pero le prevengo a usted que me siento realmente mal.

—¡Oh!, me iré en seguida.

Al pasar por la portería, Pável Pávlovich se apartó un momento para hablar con Mavra.

—¿Qué ha ido usted a decirle? —le preguntó severamente Velcháninov, una vez en el cuarto.

—¡Oh!, nada... que el cochero...

—¡Le advierto que lo que es aquí no bebe!

El otro no contestó. Velcháninov encendió una bujía. Pável Pávlovich se instaló en una butaca. Velcháninov se plantó delante de él, muy ceñudo.

—Yo también le he prometido a usted decirle mi última palabra —dijo, con una agitación interior que a duras penas conseguía dominar—. Pues bien, oiga usted: estimo que todo ha terminado definitivamente entre nosotros, y que, por consiguiente, nada tenemos ya que decirnos... ¿Lo oye usted? ¡Nada! Así, que lo mejor es que tome usted el portante inmediatamente, y me deje en paz de una vez.

—¡Liquidemos cuentas, Aléksieyi Ivánovich! —repuso Pável Pávlovich, mirándole fijamente y con gran dulzura.

—¿Cómo que «liquidemos cuentas»? —exclamó Velcháninov, asombrado— ¡Qué expresión tan rara...! ¿Y qué cuentas son ésas...? ¿Ah, conque ésa era la «última palabra», la revelación que me prometía usted antes?

—Justamente.

—¡Nosotros no tenemos cuenta alguna que liquidar! ¡Hace tiempo que todo está liquidado! —replicó Velcháninov, con altanería.

—¿Sí? ¿Usted cree? —preguntó Pável Pávlovich, con tono incisivo.

Y al mismo tiempo hacía el gesto extraño de juntar las manos y llevárselas al pecho.

Velcháninov calló, y se puso a caminar de arriba abajo por el aposento. El recuerdo de Liza le llenó el corazón: fue como un llamamiento quejumbroso.

—Vamos a ver, ¿qué cuentas son esas que quiere usted liquidar? —dijo, al cabo de un prolongado silencio, deteniéndose ante él, con la frente contraída.

Pável Pávlovich no había cesado de seguirle con los ojos, sin separar las manos juntas del pecho.

—¡No vuelva usted allí! —rogó en voz casi imperceptible, suplicante. Y se levantó bruscamente de la silla.

—¿Cómo? ¿Sólo se trata de eso? —exclamó Velcháninov, sonriendo malignamente—. ¡Caramba, me lleva usted hoy de sorpresa en sorpresa! —continuó, con acento mordaz. Luego, bruscamente, cambió de actitud—. Escuche usted —dijo, con una expresión de tristeza y de profunda sinceridad—; creo que nunca, en ninguna ocasión, me he degradado hasta el punto que hoy: primero, consintiendo en acompañarle a usted; y luego, conduciéndome allí como me he conducido... ¡Todo ha sido tan mezquino, tan lamentable...! Me he envilecido y ensuciado, dejándome arrastrar... sin darme cuenta... Por otra parte —y se rehizo instantáneamente—, usted me cogió desprevenido; estaba enfermo, sobreexcitado... ¡En fin, no tengo por qué justificarme! No volveré a casa de los Zajlebinin, y puede usted estar seguro de que nada me atrae en ella —concluyó, resueltamente.

—¿De veras? ¿Completamente de veras? —exclamó Pável Pávlovich, transportado de júbilo.

Velcháninov le lanzó una mirada despectiva y volvió a pasearse por el cuarto.

—Por lo visto está usted decidido a ser otra vez feliz a toda costa, ¿eh? —no pudo menos de decir al fin.

—¡Naturalmente! —contestó Pável Pávlovich, en un impulso de ingenuidad.

«Es un extravagante —pensó Velcháninov—. Toda su maldad no es más que tontería. Pero, en fin, eso no es asunto mío; y, de todos modos, no tengo otro remedio que odiarle... ¡aunque, en realidad, ni siquiera lo merezca!»

—¡Sabe usted, yo soy un «eterno marido»! —dijo Pável Pávlovich, con una sonrisa sumisa y resignada—. Hace tiempo que conocía esa frase de usted, Aléksieyi Ivánovich. Sí, desde que nos conocimos en T... ¡oh!, he retenido una porción de frases suyas de entonces. La otra vez, aquí, cuando habló usted del «eterno marido», le comprendí perfectamente.

Entró Mavra con una botella de champán y dos copas.

—Usted perdonará, Aléksieyi Ivánovich; pero ya sabe usted que no puedo prescindir... No se enfade usted si me he permitido... Yo estoy muy por debajo de usted, y ya sé que no soy digno de su amistad...

—¡Bien, bien! —interrumpió Velcháninov, con repugnancia—. Pero le aseguro a usted que me siento muy mal.

—¡Oh!, acabaré en seguida..., cuestión sólo de un minuto —respondió el otro, precipitadamente—. Una copa, una copita nada más; tengo la garganta...

Y vaciando la copa de un trago, ávidamente, volvió a sentarse, mirando a Velcháninov con una especie de ternura. Mavra salió.

—¡Qué asco! —murmuró Velcháninov.

—Mire usted, la culpa es de sus amigas —empezó a explicar Pável Pávlovich, súbitamente reanimado.

—¿Cómo? ¿El qué? ¡Ah, sí! Pero ¿sigue pensando usted en esa historia...?

—¡La culpa es de sus amigas! ¡Ella es aún tan joven! A esa edad no se piensa más que en hacer locuras y disparates, para reírse... ¿Y por qué? ¡Si está muy bien...! Más adelante será otra cosa. Yo me pasaré la vida a sus pies, mimándola de continuo; ella se verá considerada y respetada... Además, el trato de gentes, la sociedad... ¡En fin ya tendrá tiempo de transformarse!

«¡Habría que ir pensando en devolverle la pulsera!», pensaba Velcháninov, preocupado, palpando el estuche en el fondo de su bolsillo.

—Decía usted antes que si estaba decidido a ser feliz otra vez a toda costa. ¡Pues sí, Aléksieyi Ivánovich! Por eso necesito casarme —prosiguió Pável Pávlovich, con voz comunicativa, aunque un tanto trémula—. ¿Qué quiere usted que haga si no? ¡Ya lo está usted viendo...! —y señalaba con el dedo la botella—. ¡Y eso que ésta no es sino la más insignificante de mis... cualidades! Yo no puedo materialmente vivir sin una mujer, sin un afecto, sin un ser al que adorar. Sí, adoraré, y me sentiré a salvo.

«Pero ¿a qué demonio me dice usted todo esto?», estuvo a punto de gritar Velcháninov, que tuvo que hacer un esfuerzo para no romper a reír. Afortunadamente, pudo contenerse; habría sido demasiado cruel.

—Pero ¿acabará usted de decirme por qué me llevó allí casi a la fuerza? —preguntó—. ¿De qué podía yo servirle?

—Era para hacer una prueba —contestó Pável Pávlovich, cortado.

—¡Qué prueba?

—Para ver el efecto que... Mire usted, Aléksieyi Ivánovich, hace poco más de una semana que yo voy allí en calidad de... (Y cada vez se le veía más emocionado.) Ayer, al venir aquí, pensé: «Nunca la he visto delante de hombres; es decir, delante de otros hombres que yo...». Fue una idea estúpida; ahora lo comprendo. Era completamente inútil. Pero ¡qué se le va a hacer!, me encapriché en ello. ¡Culpa siempre de este maldito carácter!

Y al mismo tiempo levantó la cabeza y enrojeció.

«¿Será verdad todo eso?», pensó Velcháninov, perplejo.

—Bueno, ¿y qué más? —dijo en voz alta.

Pável Pávlovich sonrió, con una sonrisa afable y solapada.

—¡Nada; todo han sido niñerías! La culpa la tienen las amigas... Y usted tiene que perdonarme mi conducta tan estúpida con usted. Le aseguro que no volverá a suceder.

—A mí tampoco me volverá a suceder. No pienso poner allí más los pies —dijo Velcháninov, sonriendo.

—¡Perfectamente! Eso es lo que deseo.

—Pero yo no soy solo en el mundo; hay otros hombres —advirtió Velcháninov, inclinándose hacia adelante.

Pável Pávlovich volvió a ponerse muy colorado.

—Me lastima usted, Aléksieyi Ivánovich. Yo tengo en el mejor concepto a Nadechka Fedosiéyevna, y...

—Usted perdone; no lo decía con la menor intención... Lo que me extraña es que tenga usted tan alta idea de mi capacidad de seducción... y... que haya depositado usted en mí una confianza...

—Si lo he hecho ha sido teniendo en cuenta todo lo ocurrido en otros tiempos.

—Entonces, ¿me considera usted todavía como un hombre de honor? —exclamó Velcháninov, deteniéndose en seco ante él.

En cualquier otro momento, hubiérase aterrado de una pregunta tan cándida e imprudente.

—Nunca he dejado de tenerle a usted por tal —contestó Pável Pávlovich, bajando los ojos.

—Sí, no faltaba más... No es eso lo que quería decir... quería preguntarle si no tiene usted ya la menor... la menor prevención...

—¡En absoluto!

—¿Y cuando llegó usted a Petersburgo?

Velcháninov no pudo menos de hacerle esta pregunta, aunque de sobra comprendía lo imprudente de su curiosidad.

—Cuando llegué a Petersburgo, le tenía también por el hombre más honorable del mundo. Yo siempre le he tenido a usted en gran aprecio, Aléksieyi Ivánovich.

Y Pável Pávlovich, levantando los ojos, le miró frente a frente, sin la menor turbación. Velcháninov, de pronto, tuvo miedo. Por nada del mundo hubiera querido provocar él una ruptura.

—Yo le he querido a usted mucho, Aléksieyi Ivánovich —dijo Pável Pávlovich, como si, de pronto, se decidiera—. Sí, yo le he querido mucho durante su estancia en T... Claro que usted no se daba cuenta —continuó, con una voz temblorosa, que espantó a Velcháninov—; yo era muy poca cosa a su lado para que usted se fijase. Más vale así, después de todo. Durante estos nueve años me he acordado mucho de usted. ¡Ningún año tan feliz como aquél! —y los ojos le brillaban singularmente—. He conservado algunas de sus frases e ideas. Siempre le he recordado como a un hombre dotado de buenos sentimientos, culto, cultísimo, y muy inteligente. «Los grandes pensamientos provienen menos de un gran espíritu que de un gran corazón», dijo usted una vez. Usted quizá lo haya olvidado, pero yo lo recuerdo perfectamente. Siempre le he considerado a usted como un hombre de grandísimo corazón, y así lo he considerado... a pesar de todo...

Le temblaba la barbilla. Velcháninov se sentía aterrado.

Era preciso, costara lo que costara, poner término a estas expansiones inesperadas.

—¡Basta! Se lo ruego, Pável Pávlovich —interrumpió con voz sorda y estremecida—. ¿Por qué, por qué —y elevó súbitamente la voz hasta gritar—, por qué cebarse así en un hombre enfermo, agotado, a dos dedos del delirio, y arrastrarlo así a todas estas tinieblas...? Cuando todo no es sino fantasmas, ilusión, mentira y vergüenza. Y lo más vergonzoso es que usted y yo, los dos, somos un par de hombres viciosos, embusteros y viles.. ¿Quiere usted que le pruebe ahora mismo, no sólo que usted no puede quererme, sino que me odia usted con todas sus fuerzas, y que miente, puede que sin darse cuenta? Usted vino a buscarme y me llevó a esa casa, no por lo que usted dice de poner a prueba a su novia, ¡ni mucho menos! ¿Acaso puede ocurrírsele a nadie semejante idea...? No, usted me llevó allí para enseñármela, y decirme: «¿La ves? ¿Ves lo hermosa que es? ¡Pues será mía! ¡Ven por ella ahora, si te atreves!»... ¡Fue un reto que me lanzó usted...! ¡Quién sabe! Es muy posible que ni usted mismo se diera cuenta de ello, pero ése fue el verdadero motivo... Y para que a uno se le ocurra semejante cosa, es preciso que haya odio. ¡Sí, usted me odia!

Corría por el cuarto, gesticulando, gritando, y sintiéndose al mismo tiempo ofendido, humillado, sobre todo, ante la idea de rebajarse así hasta Pável Pávlovich.

—¡Yo quería hacer las paces con usted, Aléksieyi Ivánovich! —dijo de pronto el otro, con voz decidida, pero entrecortada, y temblándole la barbilla.

Un furor salvaje se apoderó de Velchíninov, como si acabase de sufrir la más terrible de las injurias.

—¡Le repito a usted —aulló— que se ceba en un hombre enfermo, agotado, para arrancarle en su delirio no sé qué palabra que no quiere decirle...! ¡Fuera, fuera de aquí...! ¡Al fin y al cabo no somos de la misma clase! ¡Compréndalo usted de una vez! ¡Y además... además, hay entre nosotros una tumba! —concluyó, tartamudeando de rabia y acordándose de pronto.

—¿Y cómo puede usted saber...? —Y el rostro de Pável Pávlovich se desencajó, súbitamente, poniéndose lívido—. ¿Cómo puede usted saber lo que esa tumba representa para mí, aquí dentro? —gritó, dirigiéndose hacia Velcháninov y golpeándose el pecho con el puño, con un gesto ridículo, pero terrible—. ¡Ah, yo conozco esa tumba, y tanto usted como yo estamos al lado de ella; sólo que del mío hay más que del de usted, sí, mucho más...! —balbuceó como en delirio, golpeándose todavía el pecho—. ¡Sí, mucho más, mucho más...!

Un violento campanillazo les hizo volver bruscamente en sí. Tan fuerte llamaban, que parecía como si quisieran arrancar de golpe el cordón.

—¡En mi casa no se llama de ese modo! —exclamó irritado Velcháninov.

—Pues en la mía no es —dijo entre dientes Pável Pávlovich, que, en un abrir y cerrar de ojos, había recobrado su aspecto habitual.

Velcháninov frunció el entrecejo y fue a abrir.

—¿El señor Velcháninov, si no me engaño? —dijo desde la escalera una voz juvenil, sonora y perfectamente segura de sí misma.

—¿Qué desea usted?

—Sé con certeza —prosiguió la voz sonora— que en este momento se encuentra en casa de usted un tal Trusotskii, y necesito verle inmediatamente.

A Velcháninov se le pasó por la cabeza echar de un puntapié escaleras abajo al sujeto tan seguro de sí mismo, pero reflexionó, se apartó a un lado y le dejó pasar.

—Sí, aquí está el señor Trusotskii. Adelante...

XIV

SASCHENKA Y NADECHKA[10]

Entró en el cuarto. Era un muchacho de diecinueve años, acaso menos, tan joven parecía su semblante altivo y aplomado. Iba vestido con elegancia; por lo menos todo lo que llevaba le sentaba muy bien. Estatura poco más que mediana, cabello negro, largo y rizado, y los ojos grandes, atrevidos y oscuros, que daban a su rostro una expresión singular. La nariz era un tanto ancha y respingona; sin ella, habría sido muy guapo. Entró dándose importancia.

—Sin duda, es el señor Trusotskii con quien tengo la ocasión de hablar —y recalcó con una satisfacción particular la palabra «ocasión», como dando a entender que no encontraba que esta conversación fuera para él ni un honor ni un gusto.

Velcháninov empezaba a comprender y Pável Pávlovich parecía sospechar algo, pues aunque se contuviese, en su rostro se reflejaba cierta inquietud.

—Como no tengo el honor de conocerle —respondió tranquilamente—, no creo que tengamos nada que decirnos.

—Escuche usted primero y luego podrá hablar lo que guste —dijo el joven, con un aplomo maravilloso.

Luego se puso unos lentes de oro que colgaban de un cordoncito de seda y examinó la botella de champán que ha-

---

10. Diminutivos de infancia de Alexandr y Nadechka.

bía sobre la mesa. Cuando la hubo contemplado suficiente-
mente, se volvió de nuevo hacia Pável Pávlovich, y dijo:

—Alexandr Lobov.

—¿Qué quiere decir con eso de Alexandr Lobov?

—Soy yo. ¿No me conoce usted de nombre?

—No.

—Sí, ¡realmente no sé cómo iba usted a conocerme!
Vengo por un asunto muy importante, que le concierne en
particular a usted. Pero, ante todo, usted permitirá que me
siente. Estoy cansadísimo...

—Siéntese usted —dijo Velchaninov.

Pero ya el joven se había sentado sin aguardar su indicación. A pesar del sufrimiento que le laceraba el pecho, Velcháninov empezaba a interesarse por aquel joven descarado.
En aquel rostro gracioso de adolescente había como un lejano
parecido con Nadia.

—Siéntese usted —dijo el joven a Pável Pávlovich, desig-
nándole negligentemente, con un signo de cabeza, un asiento
frente a él.

—No, gracias. Continúo de pie.

—Se cansará usted... Y usted, señor Velchaninov, puede
quedarse.

—No tengo ninguna razón para irme; estoy en mi casa.

—Como quiera. Por otra parte, me alegro que asista usted a la explicación que voy a tener con el señor. Nadechka
Fedosiéyevna me ha hablado de usted en términos muy hala-
güeños.

—¿De verdad? ¿Y cuándo ha sido eso?

—En seguida de irse ustedes. De allí vengo. He aquí de
lo que se trata, señor Trusotskii —dijo, volviéndose hacia Pável
Pávlovich y hablando entre dientes, cómodamente repantiga-
do en su sillón—. Hace ya largo tiempo que Nadechka Fedosiéyevna y yo nos queremos, habiéndonos dado palabra de ca-

samiento uno a otro. Usted ha venido a meterse de por medio, y yo vengo a invitarle a dejar el sitio. ¿Está usted dispuesto a retirarse?

Pável Pávlovich se estremeció, palideció, y una sonrisa de maldad se dibujó en sus labios.

—De ningún modo —contestó rotundamente.

—¡Bueno, está bien! —dijo el joven, acomodándose mejor en el sillón y cruzando las piernas.

—Además, ni siquiera sé con quién hablo —añadió Pável Pávlovich—. Y me parece que ya ha durado bastante la conversación.

Y al decir esto creyó conveniente sentarse.

—Ya le decía yo que se cansaría —observó indolentemente el joven—. Tuve la *ocasión* de decirle, hace sólo un momento, que me llamo Lobov, y que Nadechka Fedosiéyevna y yo nos hemos dado palabra de casamiento. Por tanto, no puede usted pretender, como acaba de hacerlo, que no sabe con quién habla. Tampoco puede usted opinar que no tenemos nada que decirnos. No se trata de mí; se trata de Nadechka Fedosiéyevna, a la que persigue usted de un modo *indecente*. Ya ve usted si hay materia de conversación.

Dijo todo esto entre dientes, como un petulante que se dignase apenas articular las palabras. Cuando hubo terminado, volvió a calarse los lentes, y aparentó mirar atentamente algo indiferente.

—Usted dispense, joven... —exclamó Pável Pávlovich, con voz vibrante.

Pero el «joven» le paró en seco.

—En cualquier otra circunstancia le habría prohibido en absoluto que me llamase «joven», pero en el caso de que se trata, usted mismo reconocerá que mi juventud constituye precisamente, si se compara con usted, mi superioridad principal. Convendrá usted que hoy, por ejemplo, al ofrecer la pulsera, habría usted dado cualquier cosa por tener siquiera una pizca más de juventud.

—¡Habráse visto desparpajo! —murmuró Velcháninov.

—En todo caso, señor mío —repuso Pável Pávlovich con dignidad—; los motivos que usted invoca, y que por mi parte considero de un gusto muy dudoso y sumamente inconvenientes, no me parecen de tal naturaleza que puedan justificar esta conversación. Todo esto son chiquilladas y tonterías. Mañana iré a ver a Fedosieyi Semionovich; por el momento, le agradeceré a usted que nos deje en paz.

—Pero ¡ve usted la dignidad de este hombre! —gritó el otro a Velcháninov, perdiendo, al fin, su soberbia sangre fría—. ¡Le echan de allí, sacándole la lengua, y ni por ésas! Ya está pensando en ir a contárselo todo al padre. ¿Qué mejor prueba, hombre desleal, de que quiere usted obtener a la muchacha a la fuerza, de que pretende usted comprarla a quienes ya la edad privó de todo juicio, y que se aprovechan de la barbarie social para disponer de ella a su antojo...? ¿No le ha dado ella a usted bastantes pruebas de su desprecio? Hoy mismo, ¿no le ha mandado devolver a usted su estúpido regalo, esa pulsera ridícula...? ¿Qué más necesita usted?

—Nadie me ha devuelto ninguna pulsera... No es posible —dijo Pável Pávlovich con un escalofrío.

—¿Cómo que no es posible? ¿Acaso no se la ha devuelto a usted el señor Velcháninov?

«¡Que el diablo le lleve!», pensó Velcháninov.

—En efecto —dijo en voz alta, con aire sombrío—; Nadechka Fedosiéyevna me encargó esta tarde que le devolviera a usted este estuche, Pável Pávlovich. Yo no quería hacerme cargo de él, pero insistió tanto... Aquí lo tiene usted... Siento mucho que...

Y sacó del bolsillo el estuche, que alargó con aire confuso a un Pável Pávlovich boquiabierto.

—¿Por qué no lo había usted devuelto ya? —preguntó severamente el joven, volviéndose hacia Velcháninov.

—No se había presentado ocasión —repuso éste malhumorado.

—Es raro.

—¿Qué?

—Que es raro. Usted mismo convendrá... En fin, quiero creer que todo esto no ha sido más que un olvido.

A Velcháninov le entraron unas ganas atroces de darle un tirón de orejas al mancebo; pero, a pesar suyo, soltó una carcajada, que el joven acompañó con otra. Sólo Pável Pávlovich no se reía. Si Velcháninov hubiese advertido la mirada que les lanzó mientras ambos reían, habría comprendido que, en aquel instante, aquel hombre se transformaba en una bestia peligrosa... Velcháninov no vio la mirada, pero comprendió que había que acudir en socorro de Pável Pávlovich.

—Escuche usted, señor Lobov —dijo en tono amistoso—; sin prejuzgar el resto de la cuestión, en la que no quiero entrometerme, le haré observar a usted que Pável Pávlovich, al pretender la mano de Nadechka Fedoselevna, tiene a su favor: primero, el consentimiento de esa honorable familia; segundo, una posición considerable; y por último, una buena fortuna; y que, por tanto, está en su perfecto derecho al sorprenderse de la rivalidad de un hombre como usted, admirablemente dotado quizá, pero, al fin y al cabo, tan joven, que nadie puede tomarlo en serio por un rival... Y que, por tanto, no deja de tener razón al rogarle que se dé por terminada la entrevista.

—¿Qué entiende usted por eso de «tan joven»? Tengo diecinueve años, cumplidos hace un mes, y desde hace tiempo la edad que exige la ley para el matrimonio.

—Sí, ¿pero qué padre se decidiría a confiarle, hoy, su hija, por muy destinado que estuviese usted a ser millonario el día de mañana, o un bienhechor de la humanidad? Un hombre a los diecinueve años apenas puede responder de sí mismo. Y usted ¿no tendría inconveniente en cargar, tan tranquilo, con el porvenir de otro ser, tan niño o más que usted...? Vamos, vamos, reflexione usted, y verá que no puede ser... Si yo me permito hablarle así, es porque usted mismo, hace un instante, me invocó como árbitro entre Pável Pávlovich y usted.

—¡Ah!, ¿se llama Pável Pávlovich? —exclamó el joven—. ¿Por qué se me habría figurado a mí que era Vasilii Petróvich...? A decir verdad —y se volvió hacia Velchâninov—, el discurso de usted no me ha sorprendido lo más mínimo. ¡Ya sabía yo que todos ustedes eran iguales! ¡Y eso que me habían hablado de usted como de un hombre bastante a la moderna...! En fin, todo eso son tonterías. Lo esencial es que yo, lejos de conducirme mal en todo este asunto, como usted se ha permitido decir, me he comportado inmejorablemente, así espero hacérselo comprender. Ante todo, ya le dije que nos hemos dado palabra de casamiento; además, yo le he prometido solemnemente, en presencia de dos testigos, que si algún día, después de casados, ella se enamorase de otro hombre, o, por cualquier causa, se sintiese deseosa de romper conmigo, yo me reconocería, sin vacilar, culpable de adulterio, para procurarle un motivo de divorcio. Y no es esto todo: como hay que prever el caso en que yo me desdijese de mi promesa, y me negase a procurarle este motivo, el mismo día que nos casemos, para asegurar su porvenir, yo le haré entrega de un pagaré de cien mil rublos, a fin de que si a mí se me ocurriera faltar a mis compromisos, pudiese ella negociarlo en debida forma y llevarme a la cárcel. Ya ve usted que todo está previsto, sin comprometer el porvenir de nadie. Eso, en lo que se refiere al primer punto.

—Me apuesto cualquier cosa a que ha sido Predpósitov —dijo Velchâninov.

—¡Je, je, je! —rió sarcásticamente Pável Pávlovich.

—¿Qué es lo que tanta gracia le hace a este caballero...? Sí, señor, adivinó usted: es una idea de Predpósitov; y usted reconocerá que ha sido un acierto. De este modo, nuestra absurda legislación nada puede en contra nuestra. Claro que yo estoy decidido a quererla siempre, y que ella se ríe de todas estas precauciones; pero, en fin, no podrá usted menos de reconocer que todo ello está hábil y generosamente planeado, y que no todo el mundo sería capaz de hacerlo.

—A mi juicio, el procedimiento no sólo carece de nobleza, sino que es a todas luces poco limpio.

El joven se encogió de hombros.

—No me sorprende lo más mínimo su opinión —dijo, después de una breve pausa—. Hace tiempo que han dejado de asombrarme estas cosas. Predpósitov le diría a usted sin rodeos que su completa falta de comprensión de las cosas más naturales proviene de que sus ideas y sentimientos han sido enteramente pervertidos por la existencia estúpida y ociosa que usted ha llevado... Así que es muy posible que ni siquiera nos comprendamos uno a otro. ¡Y eso que me hablaron de usted en muy buenos términos...! Pero ya cumplió usted los cincuenta, ¿verdad?

—Si le parece a usted, volvamos a su asunto.

—Perdone la indiscreción y no se ofenda. Era sin la menor intención. Continúo... Yo no soy, ni mucho menos, el futuro millonario que usted se complace en imaginar. ¡Idea muy peregrina, por cierto...! Soy lo que usted ve; pero tengo una absoluta confianza en mi porvenir. Tampoco pienso ser un héroe ni un bienhechor de la humanidad, pero sí aseguraré la existencia de mi mujer y la mía... aunque, a decir verdad, no tenga en los momentos actuales ni un céntimo. Ellos, los padres de Nadechka, me educaron desde mi infancia...

—¿Y cómo es eso?

—Soy hijo de un pariente lejano de la señora de Zajlebinin. Al quedar huérfano, a los ocho años, me recogieron en su casa y, más tarde, me internaron en el colegio. El padre es una excelente persona, puede usted creerme.

—Ya lo sé.

—Sí, sólo que ha envejecido mucho y está muy atrasado. Pero es una buena persona. Hace largo tiempo que yo me emancipé de su tutela, para ganarme la vida y no deber nada a nadie.

—¿Sí, desde cuándo? —preguntó Velcháninov con curiosidad.

—Pronto hará cuatro meses.

—¡Ah, vamos; todo se explica ahora! Son ustedes amigos de infancia... ¿Y tiene usted algún destino?

—Sí, un destino provisional, en casa de un notario. Veinticinco rublos mensuales. Pero le diré a usted que cuando pedí su mano ni siquiera ganaba tanto. Estaba colocado en Ferrocarriles, donde sólo me daban diez rublos... Pero, ya digo, esto es provisional.

—¿De modo que pidió usted su mano a la familia?

—Sí, con todos los requisitos; hace ya tiempo; lo menos tres semanas.

—¿Y qué le contestaron?

—El padre comenzó por reír a carcajadas; luego se puso furioso. Encerraron a Nadechka en un cuarto del entresuelo; pero ella se mantuvo heroica y no cedió. Por otra parte, si tuve tan poco éxito con el padre fue debido a que desde hace tiempo me la tiene guardada, por haber dejado un destino que me había procurado en su oficina hace cuatro meses, antes de entrar en Ferrocarriles. Es un pobre anciano, imposibilitado por la edad. Todavía, en su casa, es una persona llana y encantadora; pero, en su oficina, no puede usted figurarse. Yo le di a entender bien claramente que su manera de ser no me agradaba; pero el que encendió la mecha fue el segundo jefe, que tuvo la ocurrencia de ir a quejarse de que yo había estado grosero con él, cuando lo único que hice fue llamarle retrógrado. Les envié a paseo a los dos, y ya ve usted que ahora estoy en casa del notario.

—¿Tenía usted un buen sueldo en la oficina?

—¡Oh, era supernumerario...! El viejo era el que me daba lo que me hacía falta. Repito que es una excelente persona... Pero, ¡caramba!, nosotros no somos gente para ceder... Claro que veinticinco rublos distan mucho de ser suficientes; pero cuento con que dentro de poco me encarguen de arreglar los asuntos del conde Savileiskii, que están muy embrollados. Entonces, para empezar, tendré tres mil rublos, que es más de lo que puede ganar cualquier hombre de negocios ya versado en la materia. Ya me lo están gestionando... ¡Diablo, qué trueno! Se avecina la tempestad; es una suerte haber llegado antes de que estallase. He venido a pie desde allí, corriendo casi todo el tiempo.

—Perdón; pero ¿cómo, si no le reciben a usted ya en la casa, ha podido hablar con Nadechka Fedosiéyevna?

—¡Pues por encima de la tapia...! ¿Se fijó usted en la pelirroja? —añadió sonriendo—. Pues bien, está de nuestra parte; y María Nikítischna también. ¡Y que no es lista que digamos María Nikítischna! Una verdadera serpiente... Pero ¿por qué hace usted esa mueca? ¿Es que tiene miedo a los truenos?

—No; me siento mal, muy mal...

Velcháninov acababa de sentir una punzada en el pecho. Se levantó, poniéndose a caminar por el cuarto.

—Entonces, le estoy molestando... No se apure usted, me voy en seguida.

Y el joven se levantó del sillón.

—No me molesta usted lo más mínimo; no es nada —contestó con mucha dulzura Velcháninov.

–No es nada, como dice Kobílnikov cuando le duele el estómago... ¿Recuerda usted la novela de Schedrin?[11] ¿Le gusta a usted Schedrin?

–¡Sin duda!

–A mí también... ¡Bueno, Vasilii... perdón, Pável Pávlovich, acabemos de una vez! –continuó, volviéndose muy amablemente, sonriendo, hacia Pável Pávlovich–. A fin de que comprenda usted mejor, le repetiré una vez más, con toda claridad, la pregunta: ¿consiente usted en renunciar mañana, oficialmente, en presencia de los padres y mía, a toda pretensión respecto a Nadechka Fedosiéyevna?

–No consiento en nada absolutamente –exclamó Pável Pávlovich, levantándose, lleno de impaciencia y de ira–, y le ruego a usted, por última vez, que me deje en paz... Todo eso no son sino chiquilladas y tonterías.

–¡Tenga usted cuidado! –respondió el joven, con una sonrisa arrogante, amenazándole con el dedo–. No haga usted cálculos equivocados. Usted no sabe adónde podría llevarle un error semejante en esos cálculos. Le prevengo a usted que, dentro de nueve meses, cuando después de haberse gastado un buen montón de dinero y tomado un trabajo de todos los diablos, se encuentre de vuelta en Petersburgo, usted mismo se verá obligado a renunciar a Nadechka Fedosiéyevna; y si tampoco entonces renunciase tendría usted que atenerse a las consecuencias... Usted no sabe lo que le aguarda, si se obstina... Debo prevenirle a usted que en estos momentos está usted representando el papel del perro del hortelano, y usted perdone la comparación, ¡ni mío ni de nadie! Se lo repito caritativamente: reflexione, procure meditar seriamente, siquiera una vez en su vida...

---

11. Pseudónimo literario del escritor Mijail Levgrafovich Saltikov (1826-1888).

—¡Le agradeceré a usted que me ahorre todas esas consideraciones! —gritó Pável Pávlovich, enfurecido—. ¡Y en cuanto a esas confidencias comprometedoras, desde mañana mismo tomaré las necesarias medidas radicales!

—¿Confidencias comprometedoras? ¿Qué quiere usted decir con eso? Usted sí que es un indecente en pensar semejantes cosas. Bueno, aguardaré hasta mañana; pero si... ¡Caramba; otra vez empieza a tronar...! Hasta la vista; he tenido mucho gusto en haberle conocido —dijo a Velcháninov.

Y se fue precipitadamente, con la esperanza de adelantarse a la tempestad y evitar la lluvia.

XV

AJUSTE DE CUENTAS

—Pero ¿ha visto usted? ¿Ha visto usted? —gritó Pável Pávlovich a Velcháninov, apenas hubo salido el joven.

—¡Sí, tiene usted poca suerte! —dijo Velcháninov.

De no sentirse exasperado por el dolor creciente que le torturaba el pecho, no habría dejado escapar esta frase. Pável Pávlovich se estremeció, como si hubiese recibido una quemadura.

—Bueno, y el papel de usted en todo esto, ¿cuál fue? Sin duda fue por lástima hacia mí que se encargó de la pulsera, ¿no?

—No tuve tiempo de...

—Sin duda porque me compadecía usted de todo corazón, como un verdadero amigo compadece a otro, ¿no?

—¡Pues sí, señor, le compadecía a usted! —exclamó Velcháninov, empezando a irritarse.

Sin embargo, le contó en pocas palabras cómo se había visto obligado a aceptar la pulsera, cómo Nadechka Fedosiéyevna le forzara a entrometerse en el asunto...

—Ya puede usted comprender que yo no quería encargarme de ella bajo ningún concepto. ¡Ya sin eso llevo sufridas bastantes molestias!

—¡Pero se dejó usted enternecer y aceptó! —dijo con una risita sardónica Pável Pávlovich.

—Bien sabe usted que está diciendo una estupidez. Pero, en fin, hay que perdonarle... Ya ha podido ver, hace un momento, que no soy yo el que desempeña el papel principal en este asunto.

—¡Nada, nada, que se dejó usted enternecer!

Y, sentándose, Pável Pávlovich llenó su copa.

—¿Y usted se figura que, sin más ni más, voy a cederle el sitio a ese mequetrefe? ¡Sí, sí; como no se lo ceda! Lo partiré en dos pedazos, lo mismo que una caña. Mañana iré a casa de Zajlebinin y todo se pondrá en orden. Acabaré con todas esas chiquilladas...

Vació su copa casi de un sorbo y se sirvió otra, sin preocuparse lo más mínimo de Velcháninov.

—¡Je, je! ¡Nadechka y Saschenka! ¡Preciosos! ¡Je, je, je!

No podía contener ya su rabia. En esto estalló un trueno formidable, acompañado de relámpagos y de una lluvia torrencial. Pável Pávlovich se levantó y fue a cerrar la ventana.

—Hace un momento le preguntaba a usted ese mocoso si tenía miedo a los truenos... ¡Je, je! ¡Velcháninov tener miedo a los truenos...! ¡Y luego con su Kobílnikov! ¿Recuerda usted? ¡Sí, sí, Kobílnikov...! ¡Y que si tenía usted cincuenta años! ¡Je, je! ¿Recuerda usted? —preguntó Pável Pávlovich, con aire burlón.

—Bueno, aquí se queda usted... —dijo Velcháninov, que apenas podía hablar de dolor—. Yo voy a acostarme... Usted hará lo que tenga por conveniente.

—¡Caramba, ni a un perro se le echaría con un tiempo semejante! —gruñó Pável Pávlovich, herido por la indicación y casi encantado de encontrar una ocasión de darse por ofendido.

—Bueno, pues quédese usted bebiendo. ¡En fin, pase usted la noche como guste! —murmuró Velcháninov, echándose en el diván y gimiendo lastimeramente.

—¿Pasar la noche aquí...? ¿No le da a usted miedo?

—¿Miedo? ¿De qué? —preguntó Velcháninov, levantando bruscamente la cabeza.

—¡Qué sé yo! La otra vez me parece recordar que le entró a usted un miedo horrible...

—¡Es usted un imbécil! —gritó Velcháninov, fuera de sí, volviéndose hacia la pared.

—¡Bueno, bueno, como usted quiera! —dijo condescendientemente Pável Pávlovich.

Apenas se había echado el enfermo cuando se quedó dormido. Después de la sobreexcitación ficticia que le había mantenido en pie durante todo el día y que ya desde hacía algún tiempo le sostenía, se sentía débil como un niño. Pero el mal venció, dominando el sueño y la fatiga. No había pasado una hora cuando ya Velcháninov se despertaba, incorporándose en el diván con ayes de dolor. La tempestad había cesado; el cuarto estaba lleno de humo de tabaco; la botella, vacía sobre la mesa, y Pável Pávlovich acostado cuan largo era, sin quitarse el traje ni los zapatos siquiera. Los lentes se le habían resbalado del bolsillo y colgaban del cordoncito de seda, casi a ras del suelo. El sombrero había rodado por tierra, a poca distancia suya.

Velcháninov le miró con mal humor y no quiso despertarle. Levantándose, se puso a caminar por el cuarto, incapaz de seguir acostado, gimiendo y pensando en su enfermedad con angustia.

Tenía miedo, y no sin motivo. Hacía largo tiempo que sufría aquellas crisis, pero al principio sólo se producían con largos intervalos, al cabo de uno y hasta dos años. Sabía que tenían su origen en el hígado. Empezaban con un dolor en la cavidad del estómago o un poco más arriba; dolor sordo, bastante leve, pero exasperante. Luego el dolor crecía, poco a poco, sin tregua, a veces durante diez horas, una tras otra, y acababa por adquirir tal violencia, por hacerse tan intolerable, que el enfermo creía morirse. Cuando la última crisis, un año antes, después de esta exacerbación progresiva del dolor, se había sentido tan aniquilado, que apenas podía mover la mano, a pesar de lo cual el médico sólo le permitió tomar durante todo el día un poco de té muy ligero y un pedacito de pan mojado en caldo. Las crisis sobrevenían producidas por motivos muy diversos, pero siempre después de conmociones nerviosas excesivas. Tampoco evolucionaban siempre de la misma manera. A veces, se conseguía cortarlas desde el principio, en la primera media hora, con la aplicación de simples compresas calientes. Otras veces, todos los remedios eran ineficaces, y sólo se conseguía calmar el dolor, y eso a la larga, a fuerza de vomitivos. La última vez, por ejemplo, el médico había declarado más tarde que al principio creyó en un envenenamiento.

Todavía faltaba mucho para que amaneciese, y no quería mandar a buscar un médico a medianoche. Por otra parte, era poco amigo de médicos. Al fin, no pudo contenerse y gimió en voz alta. Sus quejidos despertaron a Pável Pávlovich, que se incorporó en el diván, espantado al ver a Velcháninov correr como un loco por las habitaciones. El champán que bebiera había producido de tal modo su efecto que aún tardó un buen rato en recobrar del todo su juicio. Al fin comprendió y se acercó a Velcháninov, que balbuceó una respuesta.

—Eso es cosa del hígado. Yo he visto varios casos —dijo Pável Pávlovich con una ligereza sorprendente—. Piotr Kúzmich y Polózujin tuvieron exactamente lo mismo, y era del hígado... Lo mejor son compresas calientes. Piotr Kúzmich se ponía siempre compresas... ¡Oh, puede uno morirse fácilmente! ¿Quiere usted que avise a Mavra?

—¡No vale la pena, no vale la pena! —dijo Velcháninov, extenuado—. ¡No necesito nada!

Pero Pável Pávlovich, sabe Dios por qué, estaba fuera de sí, tan trastornado como si se tratara de salvar a un hijo.

Sin querer oír nada insistió vivamente: no había más remedio que poner compresas calientes y, además, tomarse muy deprisa, de un trago, dos o tres tazas de té flojo, lo más caliente posible, casi hirviendo. Sin esperar el permiso de Velcháninov, corrió en busca de Mavra, la trajo a la cocina, hizo fuego, encendió el *samovar*. Al mismo tiempo, convencía al enfermo a acostarse, le desnudaba, le arropaba con una colcha; y al cabo de veinte minutos estaba hecho el té, y caliente la primera compresa.

—¡Ajajá! ¡No hay compresa mejor...! ¡Platos bien calientes, quemando! —exclamó, con un entusiasmo apasionado, aplicando sobre el estómago de Velcháninov un plato envuelto en una servilleta—. No hay otras compresas a mano, y se tardaría demasiado en ir a buscarlas... Además, yo le garantizo a usted que no hay nada mejor. Lo sé por experiencia, cuando Piotr Kúzmich... ¡Y que puede uno morirse muy fácilmente, sabe usted...! ¡Tenga, bébase ese té de prisa; tanto peor si se quema usted...!¡Se trata de salvarle a usted, y no de andarse con remilgos!

Empujaba a Mavra, que seguía casi dormida; cambiaba los platos cada tres o cuatro minutos. Después del tercer plato y la segunda taza de té hirviendo, que tomó de un trago, Velcháninov se sintió bastante aliviado.

—¡Buen síntoma, cuando se consigue dominar el dolor! —exclamó Pável Pávlovich.

Y, muy contento, corrió a traer otro plato y otra taza de té.

—¡Que lleguemos a calmar completamente el dolor, y verá usted! ¡Eso es lo esencial! —repetía a cada momento.

Al cabo de media hora, el dolor había desaparecido, pero el enfermo estaba tan extenuado que, a pesar de las súplicas de Pável Pávlovich, se negó rotundamente a dejarse aplicar un «último platito». Los ojos se le cerraban de debilidad.

–¡Dormir! ¡Dormir! –murmuró con voz apagada.

–¡Sí, sí, ahora! –dijo Pável Pávlovich.

–Acuéstese usted también....¿Qué hora es?

–Van a dar las dos menos cuarto.

–Acuéstese usted.

–Sí, sí, ya me acuesto.

Un minuto después, el enfermo llamó de nuevo a Pável Pávlovich, que acudió en seguida.

–Es usted... es usted... mejor que yo... Gracias.

–¡Duerma, duerma! –dijo en voz baja Pável Pávlovich. Y volvió a su diván de puntillas.

Todavía le oyó el enfermo hacer con mucho tiento la cama, desnudarse, apagar la bujía, y acostarse a su vez, conteniendo el aliento, para no molestarle.

Velchaninov debió dormirse, sin duda, en cuanto apagaron la luz. Más tarde lo recordaba perfectamente. Pero, en sueños, hasta el momento en que se despertó, le parecía que no dormía, ni conseguía dormirse, a pesar de su extrema debilidad.

Soñó que deliraba, que no podía ahuyentar las imágenes que se agolpaban tercamente ante su espíritu, aunque teniendo plena conciencia de que sólo eran imágenes y no realidades. Reconocía toda la escena: su cuarto, lleno de gente, y la puerta, en la sombra, abierta de par en par. La muchedumbre invadía el cuarto, subía por la escalera en filas apretadas. En el centro de la habitación, junto a una mesa, había un hombre sentado, exactamente lo mismo que en su sueño de hacía un mes. Lo mismo que entonces, el hombre continuaba sentado, con los codos sobre la mesa, en silencio; pero esta vez llevaba un sombrero con una gasa negra. «¿Cómo? Entonces, ¿también era Pável Pávlovich la otra vez?», pensó Velchaninov; pero, al examinar el rostro del hombre taciturno, se convenció de que era otro. «Pero, ¿por qué llevará una gasa negra?», caviló. La multitud se apretujaba en torno de la mesa, hablando y gritando. El tumulto era atroz. Aquella gente parecía más irritada contra Velcháninov, más amenazadora que en el sueño anterior. Tendían los puños hacia él, y gritaban. Pero por más esfuerzos que hacía no llegaba a comprender qué gritaban ni qué querían.

«¡Vamos, vamos, calma! Todo esto no es más que un delirio —pensó—. De sobra sé que no he podido dormirme, y me he levantado, y estoy de pie, porque no podía seguir acostado, a causa de los dolores...» Y, sin embargo, los gritos, la gente, los ademanes, todo, adquiría tal precisión, tal aire de realidad, que a veces se le ocurrían ciertas dudas. «¿Es, realmente, una alucinación todo esto? ¿Para qué me querrá toda esta gente, Dios mío? Pero... si esto no es un delirio, ¿cómo es posible que Pável Pávlovich no se despierte con los gritos? ¡Pues el caso es que él sigue durmiendo ahí, en ese diván!»

Al fin sucedió lo que había sucedido en el otro sueño: todos refluyeron hacia la puerta y se precipitaron por la escalera; pero eran rechazados hacia el cuarto por una nueva muchedumbre que subía. Los recién llegados traían algo, algo grande y pesado, pues se oían resonar en la escalera los pasos dificultosos de los portadores, en medio de rumores y voces enronquecidas de gritar. En el cuarto, todos gritaron: «¡Ahí lo traen! ¡Ahí lo traen!» Todos los ojos lanzaron chispas y se clavaron, amenazadores, en Velcháninov, mientras le señalaban violentamente la escalera. Ya no le cabía la menor duda de que todo aquello no era una alucinación, sino una realidad. Se alzó de puntillas para ver antes, por encima de las cabezas, qué era lo que traían. El corazón le palpitaba hasta romperse... Y de pronto, exactamente como en el otro sueño, resonaban tres violentos campanillazos. Y de nuevo eran tan claros, tan precisos, que era imposible que no fuesen reales... Lanzó un grito, y se despertó.

Pero no corrió hacia la puerta, como la vez pasada. ¿Qué idea súbita dirigió su primer movimiento...? ¿Fue siquiera una idea lo que en ese momento le impulsó a obrar...? Fue, más bien, como si alguien le dijera al oído lo que había que hacer. Saltando rápidamente de la cama, se precipitó hacia delante, en dirección al diván en que dormía Pável Pávlovich, con las manos extendidas como para prevenir y rechazar un ataque. Sus manos tropezaron con otras manos, extendidas hacia él, a las que se aferró vigorosamente. Alguien estaba allí, en pie, frente a él. Las cortinas estaban corridas, pero la oscuridad no era completa; de la habitación contigua, que no tenía cortinas opacas, provenía una luz débil. De pronto, un dolor terrible le desgarró la palma y los dedos de la mano izquierda, y comprendió que había apretado con esta mano el filo de un cuchillo o de una navaja de afeitar. En el mismo momento, oyó el ruido seco de un objeto que caía en tierra.

Velcháninov era lo menos tres veces más fuerte que Pável Pávlovich. Sin embargo, la lucha fue ruda, prolongándose cuatro o cinco minutos. Al fin, le derribó en tierra, juntándole las manos detrás de la espalda, con objeto de atárselas. Mientras con la mano izquierda mantenía firme al asesino, con la otra buscó algo que pudiera servir de cuerda, el cordón de las cortinas, por ejemplo. Después de tantear largo rato, dio al fin con él y lo arrancó de un tirón. Él mismo se quedó sorprendido, luego, del vigor extraordinario que le había requerido este esfuerzo.

Durante aquellos minutos, ni uno ni otro dijeron una sola palabra. Únicamente se oía el jadear de ambos, y el ruido sordo de la lucha. Cuando consiguió atar las manos a Pável Pávlovich, lo dejó echado en tierra, se levantó, fue a la ventana y descorrió las cortinas. La calle estaba desierta; el día comenzaba a clarear. Abrió la ventana y descansó unos momentos, apoyado en el alféizar, respirando a pleno pulmón el aire fresco. Eran cerca de las cinco. Cerró de nuevo la ventana, fue al armario, cogió una toalla y se envolvió con ella sólidamente la mano, a fin de cortar la hemorragia. Vio a sus pies, sobre la alfombra, la navaja abierta. La recogió, limpió y guardó en su estuche, que había olvidado aquella mañana encima de una mesita que había al lado del diván donde durmiera Pável Pávlovich. Luego, guardó el estuche en su escritorio, bajo llave. Por último, se acercó a Pável Pávlovich, al que se quedó contemplando.

Éste había conseguido, a costa de grandes esfuerzos, levantarse y sentarse en un sillón. Estaba sin vestir y sin calzar, con la camisa manchada de sangre −sangre de Velcháninov− en la espalda y las mangas.

No cabía duda que era Pável Pávlovich, pero estaba irreconocible, a tal punto se le había descompuesto y desfigurado el rostro. Estaba sentado, con las manos atadas a la espalda, haciendo esfuerzos por mantenerse derecho, con todas las facciones convulsas y como devastadas, verde a fuerza de palidez. De cuando en cuando se estremecía. Miraba a Velcháninov con ojos fijos, pero apagados, sin vista. De pronto, esbozó una sonrisa estúpida y extraviada, señaló con la cabeza la jarra de agua que había encima de la mesa, y tartajeó con voz débil:

−De beber...

Velcháninov llenó un vaso y se lo acercó él mismo a los labios. Pável Pávlovich sorbía el agua glotonamente. Al cabo de tres sorbos levantó la cabeza y miró muy fijamente, cara a cara, a Velcháninov, que seguía en pie, con el vaso en la mano. Sin decir nada, volvió a beber. Cuando hubo terminado respiró profundamente. Velcháninov cogió su almohada, su ropa, y pasó al otro cuarto, dejando a Pável Pávlovich encerrado con llave. Los dolores del estómago habían desaparecido por completo, pero después del enorme esfuerzo que acababa de hacer, su debilidad era cada vez mayor. Trató de reflexionar sobre lo ocurrido, pero sus ideas no conseguían coordinarse. La sacudida había sido demasiado fuerte. Se amodorró, dormitando unos minutos. De pronto, se sintió sacudido por un temblor general y despertó. En seguida recordó todo. Levantando con precaución la mano izquierda, que seguía envuelta en la toalla, húmeda de sangre, se puso a reflexionar, presa de una agitación febril. Sólo un punto no le ofrecía duda alguna: que Pável Pávlovich había intentado degollarle, pero que acaso un cuarto de hora antes de la tentativa él mismo ignoraba lo que iba a hacer. Quizá al acostarse se fijara, sin premeditación alguna, en el estuche de las navajas, y luego el recuerdo de estas navajas obrase sobre él como una obsesión. (Generalmente, las navajas estaban guardadas bajo llave en el escritorio; la víspera, Velcháninov las había sacado para usarlas, olvidándose luego de volverlas a su sitio.)

«Si hubiese tenido la intención de matarme se habría provisto de un puñal o de una pistola. No era posible que contase con mis navajas, de las que aún no tenía la menor idea», pensó.

En esto, dieron las seis. Velcháninov volvió en sí, y después de vestirse rápidamente se dirigió hacia el cuarto en que había dejado encerrado a Pável Pávlovich. Mientras abría la puerta, se preguntaba, sin acertar a responder, cómo en lugar de encerrarlo no lo había echado acto seguido de su casa. Se sorprendió de verle ya vestido. El prisionero había conseguido soltar sus ataduras y estaba sentado en un sillón. Al entrar Velcháninov, se levantó. Tenía el sombrero en la mano. Su mirada turbia decía: «Inútil hablar; no tenemos nada que decirnos...»

—¡Váyase! —dijo Velcháninov—. Coja usted su pulsera —añadió.

Pável Pávlovich volvió hasta la mesa, cogió el estuche, lo guardó en el bolsillo y se dirigió hacia la escalera. Velcháni-

nov estaba en pie junto a la puerta, para cerrarla en cuanto saliera. Sus miradas se encontraron por última vez. Pável Pávlovich se detuvo. Por espacio de cinco segundos se miraron
frente a frente, bien en los ojos. Ambos parecían indecisos. Al
fin, Velcháninov le hizo una señal con la mano.

—¡Váyase! —añadió a media voz.

Y cerró la puerta con llave.

XVI

ANÁLISIS

Un sentimiento de alegría inaudita, inmensa, le invadió por entero. Algo se desvanecía, concluía al fin. Le quitaban de encima un peso horrible, que desde hacía cinco semanas le aplastaba. Ahora se daba cuenta. Levantó la mano, contemplando largamente la toalla manchada de sangre y murmuró:

—¡Sí; lo que es esta vez ya se acabó todo!

Y durante toda aquella mañana, por primera vez desde hacía tres semanas, apenas pensó en Liza, como si aquella sangre que corría de sus dedos heridos le hubiese también libertado de esta otra obsesión.

Ahora se daba perfecta cuenta del peligro terrible que le había amenazado. «Con esa clase de hombres, pensaba, nunca se sabe. Un minuto antes no saben si van o no a degollarle a uno, y luego, una vez que tienen un cuchillo entre las manos y sienten el primer chorro de sangre en los dedos, no se contentan con degollarle a uno, sino que tienen que cortarle la cabeza...»

No podía estarse quieto. A toda costa, era preciso que hiciera algo, inmediatamente, para evitar sabe Dios qué. Salió, vagando al azar por las calles, deseoso de encontrar a alguien con quien hablar, aunque fuese un desconocido.

Este deseo le sugirió la idea de ver a un médico que le hiciera la primera cura. Se dirigió, pues, a casa del médico amigo suyo.

Éste examinó la herida y le preguntó con curiosidad:

—¿Cómo ha podido usted hacerse esto?

Velcháninov contestó con una broma, se echó a reír y estuvo a punto de contarlo todo, pero pudo contenerse. El médico le tomó el pulso y, al saber la crisis que había padecido aquella noche, le hizo tomar una cucharada de una poción calmante que tenía a mano. En cuanto a la herida, le tranquilizó:

—Esto no puede tener consecuencias.

Velcháninov se echó a reír y declaró que ya las había tenido, y excelentes por cierto.

Otras veces, durante aquel mismo día, sintió tentaciones de contarlo *todo*. Una de ellas, a un señor completamente desconocido, a quien él fue el primero en dirigir la palabra en una pastelería. ¡Él, que siempre había detestado trabar conversación con personas desconocidas!

Entró en una tienda a comprar un periódico, y se dirigió a casa de su sastre, donde se encargó un traje. La idea de la visita a los Pogoriétsev continuaba seduciéndole poco. Apenas se acordaba de ellos; y, por otra parte, no podía pensar en ir tan lejos. Era absolutamente preciso que él estuviese en Petersburgo, en espera sabe Dios de qué.

Comió con apetito, habló con el mozo y con su vecino de mesa, y bebió media botella de vino, sin pensar siquiera en la posible repetición de la crisis de la víspera. Estaba convencido de que en el preciso momento en que, después de hora y media de sueño, y a pesar de su extremada debilidad, saltó de la cama para luchar con su asesino, había desaparecido la enfermedad.

Sin embargo, al anochecer, la cabeza empezó a darle vueltas, y en algunos momentos sentía invadirle algo muy parecido a su delirio de la noche anterior.

Al entrar en su casa, ya puesto el sol, casi sintió miedo. Se sentía oprimido y agitado. Recorrió varias veces toda la casa, habitación por habitación. Hasta miró en la cocina, donde nunca entraba. «Aquí es donde anoche calentaron los platos», pensó. Cerró la puerta con cerrojo y, más temprano que de costumbre, encendió las bujías. Entonces recordó que hacía un momento, al pasar por la portería, había llamado a Mavra para preguntarle: «¿No ha venido Pável Pávlovich en mi ausencia?», como si semejante cosa hubiera sido posible.

Una vez bien cerrada la puerta, sacó del escritorio el estuche de las navajas, y abrió «la de ayer» para examinarla. En el mango de marfil se veían aún algunas gotas de sangre. La guardó otra vez en su estuche, y éste en el escritorio. Deseaba dormir. Era preciso que se acostara en seguida. De otro modo, «mañana estaría hecho un trapo». Aquella mañana se le antojaba un día llamado en cierto modo a ser nefasto y «definitivo». Pero los mismos pensamientos que, durante todo el día, mientras vagaba por las calles, no le abandonaran un solo instante, invadieron tumultuosamente su espíritu enfermo, sin que él pudiera apartarlos ni poner orden en ellos. Y pensando, pensando, le era imposible dormirse...

«Dando por supuesto que se levantara a degollarme sin premeditación alguna, pensó, ¿no se le habría ocurrido nunca antes la misma idea, no habría soñado alguna vez con ella, en sus peores momentos?»

A esto encontraba una singular respuesta: «Pável Pávlovich quería matarle, pero la idea del crimen no había acudido una sola vez al espíritu del futuro criminal.» Es decir: «Pável Pávlovich quería matarle, pero no sabía que quería matarle. Es incomprensible, pero es así», pensó Velcháninov. No era para buscar un destino, ni a causa de Bagáutov por lo que había venido a Petersburgo... Aunque, una vez aquí, buscase el destino, y no dejase en paz a Bagáutov, y la muerte de éste le produjese tal sacudida... No, Bagáutov le importaba un rábano. «Si vino aquí, y con Liza, fue por mí... Y yo, ¿esperaba yo lo que ha sucedido...?»

Se contestó resueltamente que sí, que se lo esperaba desde el día que le vio en coche, en el entierro de Bagáutov:

«Sí, algo me esperaba yo, pero claro que esto no... de ningún modo que se le ocurriera cortarme el cuello...»

«Pero, vamos a ver, ¿sería sincero —continuó preguntándose, levantando bruscamente la cabeza de la almohada y abriendo los ojos—, sería sincero todo lo que ese... loco me decía ayer de su ternura hacia mí, con la barbilla temblorosa y dándose golpes de pecho...?»

«Sí, era perfectamente sincero —se contestó—, ahondando aquel análisis desordenado. Era lo bastante idiota y generoso para tomar afecto al amante de su mujer, cuya conducta encontrara tan irreprochable durante veinte años. Y durante nueve años me ha estimado, honrando mi recuerdo y conservando mis «expresiones» en su memoria. No es posible que ayer mintiera ¿Acaso no me quería ayer, cuando me decía: «¿Liquidemos cuentas?» Sí, me quería *odiándome*; no hay cariño más intenso que éste...

»Es posible, hasta seguro, que en T..., cuando nos conocimos, le hiciera una impresión extraordinaria, sí, extraordinaria hasta el punto de subyugarle. Con un ser semejante esto no tiene nada de particular. Porque en mi presencia se sentía tan insignificante, me hacía en su imaginación cien veces mejor de lo que soy... Me gustaría saber, con exactitud, qué era lo que en mí le hacía tanto efecto... Después de todo, puede que no fuera más que los guantes, y la manera de ponérmelos. Unos guantes son cosa más que suficiente para ciertas almas escogidas, sobre todo para ciertas almas de «eternos maridos». El resto, se lo exageran, lo multiplican por mil; y si a uno se le antojase se pegarían por uno. ¡De qué manera admiraba mi capacidad de seducción! Es muy posible que eso fuera precisamente lo que le hizo más efecto... Y su exclamación, el otro día: «¡También él!» Pero, entonces, ya no hay medio de fiarse de nadie...! Cuando un hombre ha llegado a ese punto, deja de ser un hombre, para convertirse en menos que una bestia...

»¡Hum! Él vino a Petersburgo para «abrazarme y que llorásemos juntos», como declaraba con su aire socarrón; lo que quiere decir que venía para cortarme el pescuezo, creyendo venir para abrazarme y llorar... Y trajo a Liza consigo. Sí, eso es: si yo hubiese llorado con él, puede que, en efecto, me hubiese perdonado, pues tenía unas ganas tremendas de perdonarme. Todo ello se resolvió, desde nuestra primera entrevista, en debilidades de borracho, nimiedades grotescas y aspavientos ridículos de mujer ofendida. Por eso vino borracho como una cuba; para poder hablar. En estado normal, seguro que nunca habría podido... ¡Y qué afición a la farsa y a todos los embelecos! ¡Qué alegría la suya cuando cometí la ridiculez de besarlo...! Sólo que él no sabía entonces si todo aquello acabaría con un beso o una puñalada... ¡Bueno; ya vino la solución! La mejor de todas, la única verdadera: el beso y la puñalada, ambas cosas a la vez. La solución más lógica, al fin y al cabo.

»Fue bastante necio para llevarme a ver a su novia... ¡Su novia, santo cielo! Sólo a un ente semejante podía ocurrírsele la idea de «renacer a una vida nueva» por ese medio. Sin embargo, tuvo sus dudas; necesitaba la alta sanción de su ídolo Velchâninov. Era preciso que Velchâninov le asegurase que el sueño no era sueño, que todo aquello era perfectamente real... Me llevó allí porque me admiraba infinito, porque tenía una confianza sin límites en la nobleza de mis sentimientos... y, ¡quién sabe!, acaso porque esperaba que allí, debajo de los árboles, nos abrazaríamos y lloraríamos juntos, a dos pasos de su casta prometida... Sí, era inevitable que alguna vez, al fin, aquel «eterno marido» se vengase de todo, y para ello había cogido la navaja... sin premeditación, es cierto; pero, el caso es que la había cogido... Vamos a ver, cuando me contó la historia de aquel Livstov, ¿sería con alguna intención? «El caso es que acabó por clavarle un cuchillo en el vientre; sí señor, el caso es que acabó por clavárselo, ¡y en presencia del gobernador!»... ¿Tendría, efectivamente, alguna intención la otra noche, cuando se levantó y se acercó a mi cama? ¡Hum, vaya usted a saber…! Pero no, evidentemente fue para gastarme una broma. Se había levantado sin mala intención, y luego, al ver que yo tenía miedo, se estuvo allí quieto, sin contestar, durante diez minutos, simplemente porque le hacía gracia que yo tuviese miedo de él... Es muy posible que en aquel momento se le ocurriera por primera vez la idea, mientras estaba allí, de pie, en medio de la oscuridad...

»Pero, vamos a ver, si yo no hubiese olvidado ayer mis navajas de afeitar encima de la mesa... pues seguramente no habría ocurrido nada. ¡Evidentemente! ¡Si hacía ya tiempo que evitaba mi encuentro, si hacía más de quince días que no aparecía por aquí, de lástima que me tenía; si a quien él odiaba era a Bagáutov y no a mí…! ¡Si anoche mismo se levantó para calentar los platos, esperando sin duda que el enternecimiento desviaría el cuchillo…! ¡Como que aquellos platos los calentaba más por él que por mí…!»

Largo rato aún trabajó su espíritu enfermo, tejiendo así en el vacío, hasta el momento en que se amodorró.

A la mañana siguiente se despertó con la cabeza tan dolorida como la víspera, pero presa, además, de un terror nuevo, inesperado...

Este terror provenía de la súbita convicción que había adquirido de que él, Velcháninov, iría aquel mismo día, de motu propio, a casa de Pável Pávlovich... ¿Por qué? ¿Con qué objeto? Nada sabía, nada quería saber; pero de lo que estaba seguro es de que iría.

Su locura —no encontraba otro nombre— creció a tal punto, que acabó por hallar a esta resolución un aspecto razonable y un pretexto plausible. Ya, la víspera, se había visto obsesionado por la idea de que Pável Pávlovich, de vuelta en su casa, debía de haberse ahorcado, exactamente lo mismo que el comisario del que le hablara María Sisóyevna. Esta alucinación de la víspera se había convertido, poco a poco, para él, en una certidumbre absurda, pero imposible de desarraigar... «Pero ¿por qué demonios se habrá ahorcado ese idiota?», se preguntaba a cada momento. Recordaba las palabras de Liza... «Por otra parte, en su lugar, yo también me hubiese ahorcado...», pensó una vez.

Al fin, no pudo contenerse. En lugar de irse a comer, se dirigió a casa de Pável Pávlovich. «Me contentaré con preguntar a María Sisóyevna», se dijo. Pero apenas había llegado al portal, cuando se detuvo.

—¡Vamos, vamos! —exclamó, confundido y furioso—. ¿Seré capaz de ir allí para «abrazarnos y que lloremos juntos»? ¿Será posible que me rebaje hasta ese punto, que caiga en una vergüenza e insensatez semejante?

La providencia, que vela por los hombres de honor, le salvó de aquella «vergüenza e insensatez». Apenas había puesto el pie en la calle cuando se tropezó con Alexandr Lobov, que venía jadeante y sumamente agitado.

—¡Ah, justamente iba a casa de usted! Nuestro amigo Pável Pávlovich...

—¿Se ha ahorcado? —murmuró Velcháninov, con aire extraviado.

—¿Cómo ahorcado...? ¿Y por qué? —dijo Lobov, abriendo mucho los ojos.

—¡Nada... nada... no haga usted caso... creí que... continúe usted!

—¡Qué idea tan extravagante....! ¡Por qué se ha de ahorcar! ¿Y por qué se iba a ahorcar? Al contrario, lo que ha hecho es marcharse. Acabo de dejarle en el tren... Pero ¡cuidado que bebe! ¡Una atrocidad! Se ha metido en el vagón cantando a voz en grito. Me dio recuerdos para usted... Vamos a ver, ¿usted qué cree? ¿Es un sinvergüenza?

Alexandr Lobov estaba sumamente sobreexcitado. Su rostro encendido, sus ojos relampagueantes y la lengua un poco torpe bastaban para demostrarlo. Velcháninov se desternilló de risa.

—¡Ja, ja! ¡De modo que también ellos han acabado por fraternizar! ¡Ja, ja! ¡Se han abrazado y llorado juntos!

—Sepa usted que antes de marcharse ha ido también *allá, y* se ha despedido para no volver... Ha cantado de plano y nos ha delatado al padre, que ha mandado encerrar a Nadia en el entresuelo, sin hacer caso de sus lágrimas ni de sus gritos. Pero ¡no cederemos...! ¡Cuidado que bebe! ¿No se ha fijado usted? ¡Es un horror! No ha cesado de hablarme de usted... pero ¡qué diferencia de usted a él! Usted sí es un hombre distinguido, que siempre ha frecuentado la mejor sociedad... y si, ahora, se ha visto usted obligado a apartarse, ha sido por motivos económicos, ¿verdad?

—¡Ah!, ¿es él quien le ha contado a usted todo eso?

—Sí, él ha sido; pero no se enfade usted. No hay motivo. Ser buen ciudadano vale mucho más que ser un hombre del gran mundo. Mi opinión, completamente personal, es que hoy, en Rusia, no sabe uno a quién estimar. Y usted convendrá en que es una espantosa calamidad para una época, sea cual sea, no saber a quién estimar... ¿no es cierto?

—Certísimo... Pero ¿y él...?

—¿Él? ¿Quién...? ¡Ah, sí...! ¿Por qué demonios diría: «Velcháninov tiene cincuenta años, *pero* está arruinado»? ¿Por qué *pero*, y no *y*? Se reía a mandíbula batiente, y lo ha repetido un sin fin de veces. Se subió al vagón cantando, y luego lloró... ¡Era una vergüenza, le digo a usted! ¡Hasta daba lástima ver a aquel hombre borracho...! ¡Ah, qué poco me gustan los imbéciles...! Y, para colmo, echaba dinero a los pobres por el eterno descanso de Liza... Era su mujer, ¿verdad?

—Su hija.

—Pero ¿qué tiene usted en esa mano?

—Me he hecho una cortadura.

—Eso no es nada; ya pasará... Ha hecho bien en irse, porque apostaría la cabeza a que se casará muy pronto allí a donde vaya... ¿no lo cree usted?

—¿Y qué? ¿No quiere usted también casarse?

—¿Yo? ¡oh!, pero es muy distinto... ¡Si será usted raro! Lo que es, si usted tiene cincuenta años, él debe tener sesenta; y en esta materia hay que tener un poco de lógica, amigo mío... Además, debo decirle que, en otros tiempos, yo era un paneslavista furibundo, pero que ahora esperamos que la aurora venga de occidente... Bueno, hasta la vista; me alegro mucho de haberle encontrado sin buscarle. No, no puedo subir a su casa; no me lo pida usted; imposible.

Y se alejó apresuradamente.

—¡Ah!, pero ¿dónde tendré la cabeza? —exclamó, volviendo sobre sus pasos—. ¡Pável Pávlovich me encargó que le diera una carta! Aquí la tiene usted... ¿Cómo es que no fue usted a la estación?

Velcháninov subió a su casa, y abrió el sobre.

Dentro no había una sola línea de Pável Pávlovich; únicamente una carta de otra letra, que Velcháninov reconoció en seguida. La carta era antigua; el tiempo había amarilleado el papel, y la tinta había palidecido. Estaba dirigida a él, con fecha de hacía diez años, dos meses después de su marcha de T...; pero no fue enviada. Natalia Vasílievna la había sustituido por la otra, por la que él recibió. Instantáneamente, Velcháninov se dio cuenta de todo.

En aquella carta, Natalia Vasílievna le decía adiós para siempre —lo mismo que en la que había recibido—, y le declaraba que estaba enamorada de otro hombre, al que no había revelado que estaba encinta. Para consolarle, le prometía confiarle el hijo que iba a nacer, le recordaba los nuevos deberes que esto les impondría, viniendo también a sellar para siempre la amistad de ambos... En suma, la carta era muy poco lógica, pero decía con toda claridad que la dejase en paz con su amor. Por otra parte, le daba permiso para volver a T... dentro de un año, si quería conocer al niño... Luego, por lo visto, había reflexionado y, sabe Dios por qué, escrito la otra carta.

Velcháninov palideció mientras leía. Se imaginaba a Pável Pávlovich encontrando esta carta y leyéndola por vez primera, delante del cofrecillo de familia, el cofrecillo de ébano con incrustaciones de nácar.

«También él debió ponerse pálido como un muerto —pensó al observar su propia palidez en el espejo—. Sí, seguramente que, cuando la leyó, debió cerrar los ojos, y luego abrirlos bruscamente, con la esperanza de ver convertida la carta en un simple papel en blanco.. ¡Sí, tres veces seguidas, lo menos, debió de repetir la experiencia...!»

XVII

EL ETERNO MARIDO

Dos años después, un hermoso día de verano, se hallaba Velcháninov en un tren, camino de Odesa, para visitar a un amigo. Esperaba, además, que este amigo le presentara a una señora sumamente interesante, que desde hacía tiempo deseaba conocer más íntimamente. Había cambiado mucho, o mejor dicho, ganado muchísimo en el transcurso de estos dos años. Apenas le quedaban rastros de su pasada hipocondría.

De todos los «recuerdos» que le atormentaron dos años antes en Petersburgo, durante su interminable pleito, sólo le quedaba cierta confusión, cuando se ponía a pensar en aquella época de pusilanimidad y remordimientos enfermizos. Se consolaba diciéndose que aquel estado de ánimo no volvería a producirse y que nadie se enteraría jamás de ello.

Cierto que, en aquel entonces, había roto con todo el mundo, manteniéndose completamente aislado, y que sus conocidos no habían dejado de notarlo. Pero luego había vuelto al trato de gentes con tan perfecta contrición, y se había mostrado tan sociable, tan seguro de sí mismo, que todos le perdonaron su deserción momentánea. Los mismos que habían dejado de saludarle fueron los primeros en reconocerle y tenderle la mano, sin hacerle preguntas enojosas, como si hubiese tenido que dedicar todo aquel tiempo a asuntos personales, que a nadie más que a él concernían.

La causa principal de tan ventajosa transformación era, desde luego, el feliz término de su pleito. Le habían tocado sesenta mil rublos: poca cosa, evidentemente, pero mucho para él. De nuevo pisaba en un terreno firme; tenía la seguridad de que aquellos recursos no los malgastaría como los anteriores, y que le durarían hasta su muerte. «Ya pueden remover y trastornar a su antojo el edificio social, y vociferar hasta ensordecernos lo que gusten, pensaba en ocasiones, considerando las cosas extraordinarias y excelentes que en toda Rusia se estaban realizando, ya pueden cambiar los hombres y las ideas, que a mí me importa un bledo; sé que hasta que me muera podré comer y cenar a mi gusto; el resto, allá los demás.» Esta disposición de ánimo, burguesa y voluptuosa, había transformado poco a poco hasta su persona física. El histérico agitado de antes había desaparecido por completo, cediendo el sitio a un nuevo hombre, jovial, abierto y equilibrado. Hasta las arrugas inquietantes que apuntaran un momento alrededor de los ojos y en la frente casi se habían borrado, y su tez había vuelto a su antiguo sonrosado.

Estaba cómodamente instalado en un vagón de primera, acariciando con el pensamiento una idea deliciosa. En la estación siguiente había empalme con otra línea. «Puedo elegir, pues: si dejase la línea directa para torcer a la derecha, podría hacer una visita a una dama que yo sé, que acaba de llegar del extranjero y se encuentra allí en una soledad muy propicia para mí y muy aburrida para ella; distracción tan amena como la que me aguarda en Odesa; sin contar que siempre habrá tiempo de continuar viaje a Odesa...» Vacilaba todavía, sin acabar de decidirse, en espera de una inspiración repentina. Pero la estación se aproximaba, y la inspiración no venía.

El tren paraba en aquella estación cuarenta minutos, y la cena estaba ya servida en el restaurante. A la puerta de la sala de espera de primera y segunda clase había un tumulto de gente que se empujaba y atropellaba para ver mejor. Sin duda había ocurrido algo; probablemente, un escándalo. Una señora, que acababa de bajar de un vagón de segunda, muy bonita, pero demasiado compuesta para ir de viaje, tiraba con todas sus fuerzas de un oficial de caballería, joven y muy apuesto, que trataba de zafarse de ella. En seguida se advertía que el oficial estaba completamente borracho, y que la dama, probablemente parienta suya, y poco mayor que él, le impedía ir a la cantina para seguir bebiendo. En eso, tropezó el oficial con un joven comerciante, igualmente borracho, que venía en sentido contrario. Hacía dos días que el joven comerciante no salía de la estación, ocupado en beber y tirar el dinero en compañía de unos amigos, sin pensar en proseguir viaje. Se cruzaron palabras gruesas; el oficial gritaba, vociferaba el comerciante; la dama, desesperada, trataba de poner fin a la disputa, tirando del oficial y diciéndole con voz suplicante:

—¡Mítenka![12] ¡Mítenka! —cosa que el joven comerciante encontró escandalosa.

Todo el mundo se reía a carcajadas, pero él se sentía profundamente herido en su dignidad.

—¿Conque ésas tenemos? ¡Mítenka! ¡Mítenka! —gritó, imitando la voz aguda y suplicante de la dama—. ¿Y no le da a usted vergüenza, delante de todo el mundo?

La dama se había dejado caer sobre una silla, consiguiendo que el oficial se sentara junto a ella. El joven comerciante se les acercó dando traspiés, les contempló con aire de desprecio y aulló un insulto.

La dama lanzó gritos desgarradores; mirando en torno suyo, con angustia, si no habría nadie que acudiese en su defensa, muy avergonzada y aterrada. Para colmo, el oficial se

---

12. Diminutivo familiar de «Dmitrii» (Demetrio).

levantó de su silla, vociferando amenazas, quiso arrojarse sobre el comerciante, resbaló, y volvió a caer sentado sobre la silla. Aumentaron las risas, pero a nadie se le ocurrió salir en defensa de ellos.

Velcháninov fue el salvador. Cogió al comerciante por el cuello de la chaqueta le hizo dar dos vueltas sobre sí mismo, y de un empellón lo envió rodando a diez pasos de la dama. Esto puso punto final al escándalo.

El joven comerciante, súbitamente calmado por la sacudida y la inquietante estatura de Velcháninov, se dejó conducir por sus amigos. El aspecto imponente de aquel señor tan elegante hizo tal efecto, que todas las risas cesaron. La dama, muy colorada, con los ojos llenos de lágrimas, le expresó efusivamente su gratitud. El oficial tartamudeó: «¡Gracias! ¡Gracias!», y quiso tender la mano a Velcháninov, pero, cambiando de idea, se acostó sobre dos sillas y le tendió los pies.

—¡Mítenka! —gimió la dama, con un gesto de horror.

Velcháninov se sentía muy satisfecho de la aventura y de su desenlace. La dama le interesaba. Indudablemente, se trataba de una provinciana acomodada, vestida sin gusto, pero con coquetería, de modales un poquitín cursis. En fin, todo lo necesario para hacer concebir esperanzas a un Don Juan de Petersburgo.

Trabaron conversación. La dama, con mucha animación, le contó toda la historia, quejándose de su marido, «que había desaparecido de repente y era la causa de todo... Siempre desaparecía en el preciso momento en que se le necesitaba...».

—Ha ido... —tartamudeó el oficial.

—¡Vamos, vamos! ¡Mítenka! —interrumpió ella, suplicante.

«¡Bueno! ¡Cuidado con el marido!», pensó Velcháninov.

—¿Cómo se llama? —preguntó en voz alta—. Puedo ir a buscarle.

—Pa... Pa... Pa... lich —farfulló el oficial.

¿Se llama su marido Pável Pávlovich? —preguntó Velcháninov con curiosidad.

En el mismo momento, la cabeza calva que tanto conocía, surgió entre él y la dama. Instantáneamente, tuvo la visión del jardín de los Zajlebinin; de aquellos juegos inocentes, de aquella insoportable cabeza calva que sin cesar se interponía entre Nadechka Fedosiéyevna y él.

—¡Vamos; ya era hora! —exclamó la dama con sorna.

Era Pável Pávlovich en persona, que se quedó mirando a Velcháninov con terror y asombro, petrificado, como a la vista de un fantasma. Tal era su estupefacción que, durante un buen rato, no oyó ninguno de los violentos reproches que su mujer le dirigía. Al fin comprendió, vio lo que le amenazaba, y se echó a temblar.

—Sí, es culpa tuya; y este caballero —continuaba ella, señalando a Velcháninov—, ha sido, realmente, nuestro ángel salvador, mientras que tú... tú, siempre que se te necesita, desapareces...

Velcháninov soltó una carcajada.

—Pero ¡si somos antiguos amigos, amigos de infancia! —exclamó mirando a la dama, muy sorprendida, poniendo la mano familiarmente, con aire protector, sobre el hombro de Pável Pávlovich, que sonreía vagamente, muy pálido—. ¿No le ha hablado él a usted nunca de Velcháninov?

—No, nunca —contestó ella, después de un momento de reflexión.

—¡En ese caso, presénteme usted a su mujer, amigo olvidadizo!

—En efecto, querida Lípochka, el señor Velcháninov, aquí presente...

Se embrolló, acabó por hacerse un lío y no pudo continuar.

Su mujer, toda encendida, le miraba con ojos furibundos, evidentemente por haberla llamado Lípochka.[13]

—¡Y figúrese usted que ni siquiera me ha dado parte de su casamiento, ni me ha invitado a la boda! Pero yo le ruego a usted, Olimpia...

—Semiónovna —apuntó Pável Pávlovich.

—Semiónovna —repitió el oficial, medio dormido.

—Yo le ruego a usted, Olimpia Semiónovna, que le perdone. Hágame usted ese favor, en honor de nuestro encuentro... ¡Es un marido excelente!

Y Velcháninov dio una amistosa palmadita en el hombro a Pável Pávlovich.

—No tuve más remedio que apartarme un momento, alma mía —empezó a disculparse Pável Pávlovich.

—¡Sí, dejando que insultaran a tu mujer! Cuando se te necesita, nunca se te encuentra; pero, en cambio, cuando no haces falta, no hay forma de que te pierdas...

—¡Sí, sí! Cuando no hace falta, no hay forma de que... —apoyó el oficial.

Lípochka se ahogaba de ira. Comprendía que no estaba bien, delante de Velcháninov, y se avergonzaba de ello, pero no podía contenerse.

—¡Ya sabes, cuando no hay motivo, venga a tomar precauciones!

—Hasta debajo de la cama... ve amantes... hasta debajo de la cama... cuando no hay motivo... cuando no hay motivo... —gritó Mítenka, animándose a su vez.

Pero nadie hacía caso de Mítenka.

---

13. Diminutivo familiar de Olimpia.

Todo acabó por apaciguarse. La amistad empezada se hizo más íntima. Enviaron a Pável Pávlovich en busca de café y un poco de caldo. Olimpia Semiónovna explicó a Velcháninov que venían de O..., donde su marido estaba destinado, y que iban a pasar dos meses en el campo, no muy lejos, a cuarenta *verstas* de aquella estación; que tenían allí una casa muy bonita, con jardín, que algunos amigos iban a pasar una temporada con ellos, que la vecindad era agradable, y que si Aléksieyi Ivánovich tenía la amabilidad de hacerles una visita en «su soledad», ella lo acogería «como a su ángel de la guarda», pues no podía pensar sin terror en lo que hubiera podido suceder si... etc., etc. En una palabra: «como a su ángel de la guarda».

–Sí, como a un salvador –apoyó calurosamente el oficial.

Velcháninov dio las gracias, declaró que estaría encantado, que por otra parte él disponía de su tiempo, ya que no tenía ninguna ocupación imprescindible, y que la invitación de Olimpia Semiónovna le seducía infinito. Luego habló muy regocijadamente, y colocó dos o tres galanterías muy oportunas, que hicieron enrojecer de satisfacción a Lípochka. Cuando volvió Pável Pávlovich, ella le anunció, con gran entusiasmo, que Aléksieyi Ivánovich había tenido la bondad de aceptar su invitación, que iría a pasar con ellos un mes entero en el campo, y que había prometido llegar dentro de una semana. Pável Pávlovich sonrió con aire desesperado y no dijo nada. Olimpia Semiónovna se encogió de hombros y levantó los ojos al cielo. Al fin se despidieron: nuevas palabras de gratitud, otra vez «ángel de la guarda» y «salvador», otra vez «Mítenka»; después de lo cual Pável Pávlovich condujo a su mujer y al oficial a su vagón. Velcháninov encendió un cigarro y se puso a pasear de arriba abajo por el andén, aguardando la salida del tren. Suponía que Pável Pávlovich volvería para hablar hasta el último momento; y es lo que sucedió. Pável Pávlovich apareció de nuevo ante él, con los ojos rebosantes de interrogaciones inquietantes. Velcháninov sonrió, le cogió afectuosamente de un brazo, arrastrándolo hasta un banco próximo, y le hizo sentar a su lado, sin despegar los labios, con la intención de que Pável Pávlovich fuera el primero en hablar.

—¿De modo que vendrá usted a nuestra casa de campo? —preguntó éste, de pronto, yendo directamente a la cuestión.

—¡Estaba seguro! ¡Ah, es usted siempre el mismo! —exclamó Velcháninov, riendo—. Vamos a ver —continuó, dándole una palmadita en el hombro—, ¿ha podido usted creer un solo momento que yo iría de huésped a su casa, y nada menos que por un mes? ¡Ja, ja, ja!

Pável Pávlovich estaba radiante de alegría.

—¿De modo que no vendrá usted? —gritó.

—¡No, hombre, no, no iré, no iré! —dijo Velcháninov, con una sonrisa regocijada.

No comprendía por qué todo esto le parecía tan extraordinariamente cómico, pero el caso es que cada vez lo encontraba más divertido.

—¿De verdad...? ¿Habla usted en serio?

Y Pável Pávlovich se estremecía de inquietud y de impaciencia.

—¡Ya le dije que no iré! ¡Cuidado que es usted extravagante!

—Pero, entonces, ¿qué voy a decir...? ¿Cómo explicarle a Olimpia Semiónovna, dentro de una semana, cuando vea que usted no llega?

—¡Vaya una cosa! ¡Puede usted decir que me he roto una pierna, o lo que usted quiera!

—¡No lo creerá! —gimió Pável Pávlovich.

—¿Y qué, le reñirá a usted? —dijo Velcháninov, siempre sonriente—. Pero ¿sabe usted, amigo mío, que me parece que su encantadora mujer le tiene en un puño?

Pável Pávlovich hizo todo lo posible por sonreír, pero no lo consiguió. Que Velcháninov hubiese prometido no ir, estaba perfectamente, pero que se permitiese esas bromas respecto a su mujer, era inadmisible. Pável Pávlovich se ensombreció, cosa que echó de ver Velcháninov. Mientras, acababan de dar el segundo toque de campana. Una vocecita chillona salió de un vagón, llamando impaciente a Pável Pávlovich. Éste se agitó mucho, pero no atendió el llamamiento. Bien claro se veía que aún esperaba algo de Velcháninov; sin duda, una nueva promesa de no ir.

—¿De qué familia es su mujer? —preguntó Velcháninov, como si no se diese cuenta de la inquietud de Pável Pávlovich.

—Es la hija de nuestro pope[14] —respondió aquél, mirando de soslayo hacia el vagón.

—Sí, ya veo que se ha casado usted con ella por su belleza.

Pável Pávlovich se ensombreció de nuevo.

—¿Y quién es ese Mítenka?

—Es un pariente mío lejano; el hijo de una difunta prima hermana. Se llama Golúbchikov. Le echaron del servicio por una historia que... Ahora acaba de volver a él; nosotros le hemos equipado... Es un pobre chico, que ha tenido muy mala suerte...

«Eso es, bien, bien; no falta nada», pensó Velcháninov.

—¡Pável Pavlovich! —gritó de nuevo la vocecita que salía del vagón, pero esta vez con tono más agudo e imperativo.

—¡Pa... el Pa... Iich! —repitió otra voz, voz de borracho.

Pável Pávlovich se agitó más aún, haciendo ademán de echar a correr, pero Velcháninov le cogió vigorosamente de un brazo y le mantuvo inmóvil.

---

14. Sacerdote del rito griego, al que la ley canónica permite el matrimonio.

—¿Qué le parece a usted si fuera a contarle a su mujer que una noche quiso usted asesinarme?

—¿Qué? ¿Cómo? —exclamó Pável Pávlovich, espantado— ¡No quiera Dios semejante cosa!

—¡Pável Pávlovich! ¡Pável Pávlovich! —gritó de nuevo.

—¡Bueno, vaya usted, vaya! —dijo Velcháninov, riéndose de muy buena gana.

—¿De modo que no vendrá usted, eh? —murmuró por última vez Pável Pávlovich, desesperado, con las manos juntas, como en otro tiempo.

—¡Le juro a usted que no! ¡Vamos, váyase usted, o le van a armar una bronca!

Y le tendió cordialmente la mano. Pero, con gran sorpresa de su parte, Pável Pávlovich retiró la suya. La campana sonó por tercera vez.

Algo extraño pasó entonces entre ellos. Los dos estaban como transformados. Velcháninov ya no reía. Había sentido dentro un temblor, un desgarramiento repentino. Cogió a Pável Pávlovich por los hombros, violentamente, brutalmente.

—Pero ¡si *yo, yo*, le tiendo a usted esta mano —y le mostraba la palma de su mano izquierda, en la que aún se veía la larga cicatriz de la herida— supongo que no irá usted a rehusarla! —dijo en voz baja, con los labios pálidos y trémulos.

Pável Pávlovich se puso lívido, y una convulsión pareció descomponerle el rostro.

—¿Y Liza? —dijo con voz sorda, entrecortada.

Y de pronto sus labios se estremecieron, le tembló la barbilla y los ojos se le arrasaron en lágrimas. Velcháninov seguía en pie, ante él, como petrificado.

—¡Pável Pávlovich! ¡Pável Pávlovich!

Y esta vez fue como un aullido, como si estuviesen degollando a alguien.

Al mismo tiempo, sonó un silbato.

Pável Pávlovich volvió en sí y echó a correr desesperadamente. El tren se ponía en marcha. Consiguió agarrarse a la portezuela y saltar al vagón.

Velcháninov se quedó allí hasta la noche. Luego continuó su viaje interrumpido. No torció a la derecha, ni fue a ver a la dama recién llegada del extranjero; no estaba ya de humor para eso... Pero la verdad es que no tardó mucho en arrepentirse.

ÍNDICE

COLECCIÓN CLÁSICOS UNIVERSALES

Títulos publicados

En preparación